Nous remercions le ministère du Patrimoine canadien,
la SODEC et le Conseil des Arts du Canada
de l'aide accordée à notre programme de publication

ainsi que le Gouvernement du Québec
– Programme de crédit d'impôt
pour l'édition de livres
– Gestion SODEC.

Nous reconnaissons l'aide financière
du gouvernement du Canada
par l'entremise du Fonds du livre du Canada
pour nos activités d'édition.

Illustrations:
Claude Thivierge et William Hamiau

Montage de la couverture:
Grafikar

Édition électronique:
Infographie DN

Dépôt légal: 3ᵉ trimestre 2011
Bibliothèque nationale du Canada
Bibliothèque nationale du Québec

1234567890 IM 0987654321

STORINE, L'ORPHELINE DES ÉTOILES

L'INÉDIT

DU MÊME AUTEUR
AUX ÉDITIONS PIERRE TISSEYRE

Collection Chacal

Storine, l'orpheline des étoiles, volume 1 :
Le lion blanc (2002).

Storine, l'orpheline des étoiles, volume 2 :
Les marécages de l'âme (2003).

Storine, l'orpheline des étoiles, volume 3 :
Le maître des frayeurs (2004).

Storine, l'orpheline des étoiles, volume 4 :
Les naufragés d'Illophène (2004).

Storine, l'orpheline des étoiles, volume 5 :
La planète du savoir (2005).

Storine, l'orpheline des étoiles, volume 6 :
Le triangle d'Ébraïs (2005).

Storine, l'orpheline des étoiles, volume 7 :
Le secret des prophètes (2006).

Storine, l'orpheline des étoiles, volume 8 :
Le procès des Dieux (2006).

Storine, l'orpheline des étoiles, volume 9 :
Le fléau de Vinor (2007).

Collection Papillon •
Série Éolia, princesse de lumière

1. Le garçon qui n'existait plus (2006).
2. La forêt invisible (2006).
3. Le prince de la musique (2006).
4. Panique au Salon du livre (2006).
5. Les voleurs d'eau (2007).
6. La tour enchantée (2007).
7. Matin noir dans les passages secrets (2007).
8. La poudre du diable (2008).
9. La guerre des épis (2008).
10. La guérisseuse d'âmes (2008).
11. Le journaliste fantôme (2009).
12. Les justicières de la nuit (2009).
13. L'énigme de la Vif Argent (2010).
14. Le mystère de la dame de pique (2011).

STORINE, L'ORPHELINE DES ÉTOILES

L'INÉDIT

Fredrick D'Anterny

ÉDITIONS
PIERRE TISSEYRE
www.tisseyre.ca

155, rue Maurice
Rosemère (Québec) J7A 2S8
Téléphone: 514-335-0777 – Télécopieur: 514-335-6723
Courriel: info@edtisseyre.ca

**Catalogage avant publication
de Bibliothèque et Archives nationales du Québec
et Bibliothèque et Archives Canada**

D'Anterny, Fredrick, 1967-

    Storine, l'inédit

    (Collection Chacal, n° 62)
    Pour les jeunes de 12 à 17 ans.

    ISBN 978-2-89633-194-9

    I. Titre II. Collection: Collection Chacal; 62.

PS8557.A576S762 2011   jC843'.54   C2011-940857-0
PS9557.A576S762 2011

Vis bien chaque instant
de tes jeunes années,
sans soucis, sans trop d'attentes.
Profite des jours et des nuits,
des hivers et des étés
sans chercher à savoir
de quoi demain sera fait.
Sens le vent dans tes cheveux,
la caresse des fauves, tes amis.
Admire les rayons de Myrta,
l'étoile de ta planète nourricière,
sans chercher à voir la lumière
de toutes celles cachées dans le ciel.
Tu les découvriras bien assez vite,
car ta destinée est grande,
mon enfant, et nous,
toujours penchés sur ton épaule.

Poème gravé dans la roche
de la caverne des lions.

1

La vision

Croiseur impérial SSI Chrisabelle,
espace sidéral.

Guidée par un sentiment d'urgence qui baignait son corps de sueur, la princesse Frëlla de Hauzarex savait qu'elle allait assister à un miracle. Son intuition ne l'avait jusqu'à présent jamais trompée. C'est le cœur battant à tout rompre qu'elle pénétra dans la vaste salle.

Les portes s'ouvrirent-elles ou bien passa-t-elle au travers du battant de métal ? Toujours est-il qu'avant d'entrer les ténèbres l'environnaient et que, une seconde plus tard, la jeune femme marchait au milieu d'une belle lueur mauve qui ne pouvait pas provenir de la réverbération des nébuleuses plaquées sur l'immense toile de l'espace infini.

Dans cette pièce semée de larges baies vitrées dormait la Pure – celle qui conformément aux lois régissant l'accession au trône impérial deviendrait, une fois adulte, la nouvelle impératrice. Mais aussi les deux gouvernantes chargées de veiller sur son sommeil.

Frëlla ne sentait pas sous ses pieds la vibration familière des moteurs du puissant vaisseau. Un détail qui aurait dû, en soi, l'avertir que le miracle annoncé était sur le point de se manifester…

Elle reconnut les emblèmes impériaux imprimés sur les rideaux qui pendaient de chaque côté de l'énorme baie vitrée, l'estrade circulaire en verre de duralium et, bien sûr, le petit lit qui trônait dessus! Elle reconnut également les voiles mauves illuminées de fine poudre étoilée qu'elle avait déjà vus à maintes reprises lors de ses transes ou lorsqu'elle priait les dieux Vinor et Vina.

«Ils sont présents à mes côtés, songea Frëlla. Comme ils me l'avaient promis!»

Elle s'approcha des lits où dormaient les deux gouvernantes et retint un geste d'humeur. Après tout, elles étaient censées surveiller la Pure!

Il régnait cependant dans la salle une telle harmonie et une si parfaite « douceur » que la jeune femme se raisonna :

« Vinor et Vina sont venus. J'ai moi-même répondu à leur invitation. Je ne dois avoir peur ni d'eux ni de l'avenir si sombre qui nous guette… »

Trois silhouettes diaphanes enveloppées dans des rubans de lumière flottaient au-dessus du petit lit. La jeune femme était aussi intimidée que lorsqu'elle avait été autrefois présentée à l'impératrice Chrisabelle.

Touchée par la grâce, Frëlla inclina respectueusement la tête.

La déesse Vina lui sourit et dit :

— Tu ne croyais pas, jusqu'à cette heure, que cette enfant était réellement envoyée par nous, n'est-ce pas ?

Vinor se tourna vers Frëlla. La princesse crut qu'elle ne résisterait pas à l'intensité de son regard posé sur elle.

Le dieu ne possédait pourtant aucun visage définissable. Il était, simplement, irrésistiblement, et cela suffisait à emplir Frëlla d'un bonheur rare et précieux.

— Cette enfant a choisi de venir vivre au sein de ta famille avant d'accomplir de grandes et belles choses, dans l'avenir.

Frëlla était à la fois honorée et effrayée.

Une gouvernante s'agita dans son sommeil. La fillette allait-elle s'éveiller aussi ? La troisième silhouette, restée invisible, suspendue à l'aplomb du petit lit, frémit. Frëlla était curieuse de savoir qui était cette entité qui accompagnait Vinor et Vina.

La déesse répondit à cette question informulée :

— Il s'agit de l'âme éternelle de l'enfant.

Le maître des dieux poursuivit :

— Nous avons ponctué l'espace de signes que la Pure décryptera lorsque le temps sera venu. Ainsi, Frëlla, n'aie nulle crainte à son sujet et sois enfin apaisée.

Vina tendit sa main.

La troisième entité réintégra alors le corps du poupon.

Frëlla en fut si impressionnée qu'elle lâcha un cri de stupeur.

Son rêve mystique fut brutalement interrompu et elle se réveilla en sursaut dans sa luxueuse cabine.

Sa première dame d'honneur se précipita aussitôt, s'inclina et murmura à son oreille :

— Votre Altesse Impériale a appelé ?

Frëlla mit quelques secondes avant de reprendre contact avec la réalité.

« Je suis à bord du *Chrisabelle,* le navire spatial de ma belle-mère, se rappela-t-elle. Nous sommes en tournée de promotion dans les lointaines planètes du système d'Epsilodon, et je… »

Un affreux mal de tête rendait ses efforts de remémoration très douloureux.

— Votre Altesse désire-t-elle un rafraî-chissement ? s'enquit la dame d'honneur.

Frëlla se redressa dans ses oreillers. Elle tâta les draps à ses côtés, nota l'absence de son époux.

La domestique comprit les appréhensions de sa maîtresse et ouvrit la bouche pour les calmer. Hélas, une sirène l'en empêcha et les deux femmes restèrent quelques secondes, hébétées, à écouter l'alarme stridente du vaisseau.

Le *SSI Chrisabelle* était accompagné par huit vaisseaux d'escorte. Une unité entière de soldats d'élite était chargée de la protection du cortège impérial, et des chasseurs enca-draient la flotte. Voyageaient avec eux une foule de gens dont des courtisans, bien sûr, mais aussi des ministres, des ambassadeurs, des traducteurs, des fonctionnaires et des journalistes appartenant aux grands groupes de médias venus d'Ésotéria, la planète capitale. Un nombre impressionnant d'individus appartenant à tous les corps de métiers dont pouvaient avoir besoin Leurs Altesses Impériales faisaient également partie du cortège.

— Apportez-moi un peu d'eau, je vous prie, demanda finalement Frëlla.

Des pas résonnaient dans les corridors entourant les appartements princiers. La double porte s'ouvrit à toute volée et un homme grand, blond, décoiffé et en bras de chemise jaillit, escorté par deux officiers.

— Par les dieux, Éris, que se passe-t-il ? s'empressa de demander Frëlla à son mari.

Éristophane, fils aîné de l'impératrice Chrisabelle, leva son bras : la jeune femme comprit aussitôt que l'instant était grave.

— Mon amour…, dit le prince après avoir posé ses lèvres sur celles de sa femme, lève-toi et suis-nous.

— En pleine nuit ? Mais, je…

Le prince était tout sauf un mufle. Cultivé, généreux, il incarnait à la perfection le héros noble, fort et doux qui plaît à toutes les femmes. Mais ses yeux bleus ordinairement lumineux et caressants étaient striés de vilaines veines rouges.

— Allez-vous me dire ce qui nous arrive ? s'inquiéta Frëlla.

— Nous sommes attaqués.

« Ainsi donc, se dit la princesse impériale, mon rêve s'explique… »

Les deux officiers qui accompagnaient Éristophane eurent la décence de se retirer. La dame d'honneur remit une robe à la princesse qui s'habilla toute seule, puis elle rassembla les bijoux de sa maîtresse.

Des rumeurs d'attentats couraient depuis leur départ d'Ésotéria. Cette tournée spatiale du prince impérial était très impopulaire. Plusieurs gouverneurs de planètes éloignées de la capitale craignaient que la visite du fils de l'impératrice sur leur sol ne soit le signe qu'ils étaient tombés en disgrâce.

— Attaqués ? répéta Frëlla. Mais par qui ?

Son mari la poussa doucement dans le dos et ils sortirent de la chambre.

Un garçonnet âgé de cinq ans vint alors se blottir dans les bras de la jeune femme.

— Mon fils ! dit tendrement Frëlla.

Un adolescent roux d'environ seize ans les rejoignit.

— Thoranus, décida le prince Éristophane, tu prendras soin de Solarion. Jure-le-moi !

Le dénommé Thoranus paraissait mal réveillé et effrayé. Il fixa néanmoins son cousin dans les yeux et promit qu'il s'occuperait du petit prince.

Frëlla voulut protester. Pourquoi Éristophane confiait-il ainsi leur fils à son jeune cousin ? Elle aperçut la manche tachée de sang de son époux, et les reproches s'étranglèrent dans sa gorge.

— La Pure !

Éristophane hocha la tête, puis s'adressa à un des deux officiers :

— Lieutenant Sériac !

Le militaire en question était jeune. Son teint d'ordinaire hâlé était inhabituellement très pâle sous la clarté incandescente des veilleuses d'alarme du vaisseau.

— Oui, Votre Altesse ?

— Réfugions-nous dans la chambre de la Pure, ajouta le prince.

Le lieutenant échangea un regard perçant avec son collègue officier.

— Quelque chose ne va pas ? gronda Éristophane.

Sériac hocha la tête et avoua à contrecœur que leur appareil avait déjà été abordé et que des combats faisaient rage dans de nombreuses coursives.

Éristophane le savait bien ! Il avait été blessé dans la timonerie en esquivant le coup de sabre d'un des opérateurs du vaisseau. Cette trahison prouvait que l'attaque dont ils étaient victimes avait été pensée et soigneusement préparée par des opposants au régime impérial. Mais par qui ?

— Raison de plus pour que nous allions faire le point dans la chambre de la Pure, répéta le prince avec fermeté.

Il faillit demander pourquoi il n'y avait pas, dans la dizaine de soldats qui les accompagnaient, un seul de leurs gardes du corps habituels.

Mais le moment était mal choisi pour obtenir des explications.

Ils atteignirent le vestibule de la vaste chambre que Frëlla avait visitée quelques minutes plus tôt au cours de sa transe guidée.

Éristophane ordonna au second officier de surveiller les coursives voisines et de mettre en place un périmètre de sécurité.

Les portes s'ouvrirent. À l'intérieur de la chambre se trouvaient déjà deux soldats et le bébé. Les nourrices au service de celle qu'à défaut de nom officiel – la cérémonie du

 17

baptême devait avoir lieu à leur retour sur Ésotéria – on appelait toujours respectueusement « l'enfant » se tenaient enlacées, effrayées et tremblantes.

— Bloquez les portes ! dit le prince impérial.

Frëlla s'assura que la bambine se portait bien. Elle détailla son visage très blanc parsemé de minuscules taches de rousseur. Ses cheveux étaient orange et en désordre. Si les souvenirs de Frëlla étaient justes, la fillette avait presque trois ans. Elle ne parlait toujours pas, ne disait même pas « maman » ! Ses seuls mots parfaitement reconnaissables étaient « papa » et « ayion », qu'elle bredouillait en souriant lorsque le jeune prince Solarion s'approchait d'elle.

Les hommes s'étaient réunis pour discuter lorsqu'un cri d'effroi retentit.

Ils se tournèrent vers la grande baie vitrée.

Dans l'espace sidéral erraient d'impressionnants météorites en rotation perpétuelle l'un autour de l'autre.

Un garde s'écria qu'ils s'étaient égarés dans la dangereuse mer d'Illophène, un secteur spatial réputé mortel que navires et cargos évitaient d'ordinaire avec soin.

— Comment une telle chose a-t-elle pu se produire ? s'indigna Éristophane.

Ses pensées filaient plus vite que ses paroles. Un navigateur félon armé d'un sabre, leur navire abordé, des cris de combats retentissant non loin de cette chambre où ils avaient trouvé refuge. Et maintenant, la mer d'Illophène…

Éristophane était donc tombé dans un piège. Ainsi, les maîtres missionnaires avaient eu raison de le mettre en garde ! Et sa mère, l'impératrice, qui avait fait de nombreux cauchemars juste avant son départ, était dans le vrai. Il y avait au sein du gouvernement impérial une faction dissidente et clandestine qui préparait un coup d'État.

Qu'allait-il se passer maintenant ? Les muscles tendus à se rompre, Éristophane retint son souffle tout en adressant à sa femme un sourire encourageant.

Une nourrice hurla :

— Regardez !

Un énorme navire spatial dardait ses quatre redoutables cornes à quelques sillons de distance à peine du croiseur impérial. Ce navire de guerre se profilait sur la baie vitrée entre deux imposants météorites et paraissait aussi menaçant, sinon plus, que les monstres de pierre et de glace !

Le lieutenant Sériac Antigor s'agenouilla devant le prince et murmura :

— *Le Grand Centaure* !

Éristophane restait sans voix. *Le Grand Centaure* était le vaisseau légendaire commandé par Marsor le pirate : un des hors-la-loi les plus recherchés de par l'empire.

— Il va nous éperonner ! paniqua un soldat.

— Marsor ? s'étonna Éristophane. Mais…

Sa mère lui avait déjà parlé de ce pirate. Et d'après ce qu'il en savait, ce Marsor n'était pas aussi sanguinaire qu'on le prétendait.

— On nous attaque, répéta le lieutenant Sériac.

Éristophane trouvait que les paroles de son lieutenant manquaient de conviction. Quelque chose ne tournait pas rond dans cette « attaque ». Mais quoi ?

— Messieurs, ordonna le lieutenant à ses hommes, pour la gloire et pour l'empire !

Le prince impérial fronça les sourcils, car au lieu de former un rempart pour le protéger ainsi que sa famille, les soldats faisaient un cercle autour d'eux.

Ils dégainèrent leurs sabres électriques.

— Lieutenant Sériac ! s'exclama Éristophane.

Il entendit sa femme pousser un cri de douleur, leva son propre sabre. Transpercée de part en part, Frëlla s'écroula aux pieds de ses meurtriers.

Fou de colère et de chagrin, Éristophane comprenait enfin que ces hommes n'étaient pas des soldats impériaux, mais des mercenaires à la solde des ennemis secrets du gouvernement.

Une seconde plus tard, il sentit le froid glacial d'une lame pénétrer sa poitrine. Son fils et son jeune cousin hurlaient. Incapable de leur venir en aide, il tomba sur le sol, mort avant même d'avoir heurté la dalle de métal.

— Pour la gloire et pour l'empire ! répétèrent les soldats félons.

Les portes de la pouponnière cédèrent dans un vacarme épouvantable et un homme de haute stature, sabre en mains, s'avança.

Une douzaine de pirates hirsutes et menaçants l'entouraient…

2

Le duel

Gardes d'élite attachés à la personne de Marsor le pirate, les Centauriens étaient tous d'impressionnants colosses. Portant chacun une armure en lames de duralium ainsi qu'un casque, des jambières, des gantelets et un pourpoint damassé de cuir, ils se présentèrent en demi-cercle et engagèrent aussitôt le combat.

Celui que ses hommes appelaient entre eux « l'Amiral » enjamba le corps du prince impérial.

Qui aurait pu dire quelles étaient ses pensées ? Son casque cachait une bonne partie de son visage. Seules ses épaisses mèches blondes tombant en rouleaux sur ses épaules et sa foisonnante barbe émergeaient des méplats du heaume.

Il lâcha un cri de rage mêlé de dépit.

— Assassins !

Sériac voulut rétorquer que cette accusation était hautement déplacée et ridicule, venant d'un pirate sanguinaire.

Mais, déjà, Marsor croisait sa lame avec la sienne.

— Qui es-tu pour avoir osé porter la main sur la personne du prince impérial ? éructa le grand pirate.

« C'est le monde à l'envers ! » songea Sériac en se contentant de ricaner.

Des cris et des appels à l'aide retentissaient dans tout le navire. Des craquements sinistres leur répondaient. Par la baie vitrée, alors même que les Centauriens taillaient en pièces les soldats renégats, on apercevait plusieurs navires d'escorte heurtés de plein fouet par des météorites. Les explosions éclaboussaient les combattants d'aveuglantes clartés.

Les deux gouvernantes de l'enfant furent assassinées.

Recroquevillé dans un coin de la salle derrière de lourdes draperies, Thoranus serrait Solarion dans ses bras. Dans son petit lit, l'enfant criait et pleurait. Tétanisés de frayeur, les deux jeunes princes préféraient fermer les yeux plutôt que de voir tous ces hommes s'entretuer pour une cause qu'ils ne comprenaient pas. Mais s'ils agissaient ainsi, c'était également pour éviter de fixer les corps de Frëlla et d'Éristophane, tombés sur les dalles au milieu d'une tache de sang qui ne finissait pas de s'élargir.

Un incendie venu des coursives inférieures léchait les portes défoncées de la vaste chambre.

Soudain, le prince Solarion hurla. Deux soldats venaient de le découvrir et levaient leurs glaives sur lui et son grand cousin.

Marsor jaillit tel un diable. Il blessa le premier mercenaire au flanc et transperça le second avec sa lame.

À ce moment précis, les deux jeunes princes purent voir leur sauveur en face. Instant trop court, car le lieutenant Sériac, bien qu'atteint au côté, réengageait le combat et forçait le pirate à s'éloigner de quelques pas.

Plusieurs soldats étaient morts, de même que quelques Centauriens. Mais il ne faisait aucun doute que l'Amiral avait l'avantage.

Des détonations éparses retentissaient dans d'autres parties du navire. Les pleurs de l'enfant allaient croissant.

— Rends-toi, lieutenant régicide, et nomme le misérable qui a armé ton bras !

Marsor suivit le regard de Sériac, qui zieutait du côté du petit lit.

— Pas elle! gronda-t-il.

D'affreuses langues de feu embrasaient les draperies et les parois.

Soudain, un homme bâti comme un colosse bondit à travers le mur de flammes. Armé de deux coutelas ensanglantés, il accula les Centauriens restants contre la baie vitrée.

— Qui se cache derrière cette infamie? répéta Marsor, malgré ce nouveau danger, en avançant sur le lieutenant Sériac.

Le dégoût et l'horreur se lisaient dans les yeux bleus du grand pirate.

— Et il vous fallait tous les tuer, bien sûr! se révolta-t-il de plus belle.

Sériac s'élança vers le bébé. Marsor le prit de vitesse et s'affala sur lui de tout son poids.

Dans un geste instinctif de survie, le jeune lieutenant pointa son sabre qui lui tomba des mains sous la force du choc. Il sortit alors un fin stylet de sa botte et frappa.

Atteint au ventre, Marsor geignit de douleur et se recroquevilla.

Au même instant, le colosse venu au secours de Sériac terrassait les deux derniers Centauriens.

L'incendie menaçait d'embraser la chambre au complet. Au-delà de la baie vitrée, *Le Grand Centaure* maintenait sa position. Ses redoutables canons, dont la puissance était, disait-on, dix fois supérieure à ceux qui équipaient les croiseurs impériaux, réduisaient les météorites environnantes à l'état de poussière stellaire.

Sériac ignorait pourquoi Marsor, pourtant réputé pour être un farouche adversaire de l'empire, se portait aujourd'hui au secours de la famille impériale. Et, pour dire la vérité, il s'en fichait éperdument.

Sa mission était sur le point de réussir.

Il se pencha sur le petit lit et étudia les traits crispés et rouges de colère de l'enfant, ses yeux verts inondés de larmes, ses cheveux orange éclatants qui collaient à son front.

Que se passa-t-il dans la tête de Sériac à ce moment précis?

Il jeta un regard à Solarion et à Thoranus, mais ne daigna pas s'impliquer au point de les passer lui-même au fil de son épée.

Corvéus, son second, avait le visage et le crâne barbouillés de suie, mais les yeux aussi bleus et délavés que ceux d'un nouveau-né. Cette morphologie étrange et déroutante ne cessait de semer le doute chez ses ennemis : ce colosse était-il un redoutable tueur ou bien un inoffensif simple d'esprit ? Ceux qui y réfléchissaient trop longtemps mouraient avant de s'être fait une idée.

Le colosse chauve s'approcha du lit. Puis, riant comme un enfant, il fit mine de bercer la Pure dans ses bras énormes.

Oui, que se passa-t-il dans la tête du lieutenant ?

Quatorze années plus tard, il se rendrait compte qu'il avait alors été touché par une sorte de grâce. Qu'il avait senti, un court moment, un voile mauve et diaphane l'envelopper. Qu'une voix douce et étrangement éthérée avait murmuré à son oreille.

Murmuré quoi ?

Il ne le sut jamais : ni plus tard ni au moment même où il l'entendit.

Corvéus prit en quelque sorte la décision à sa place.

Le colosse rangea spontanément ses deux coutelas dans les étuis de cuir cousus sur son impressionnante poitrine, puis il souleva la fillette dans ses bras.

L'enfant avait beau hurler à ses oreilles, Corvéus continuait de sourire. Évoluait-il lui aussi à l'intérieur de ce voile pourpre qui était le vêtement symbolique de la déesse Vina ?

Bien après avoir gagné les soutes du vaisseau et volé une navette de sauvetage, Sériac et Corvéus restèrent sous l'influence de cette grâce surnaturelle.

L'enfant pleurait toujours dans les bras du colosse. Le lieutenant luttait pour s'extraire de cette transe qui menaçait de le submerger.

La nacelle jaillit des soutes du *SSI Chrisabelle*. Se faufilant entre des débris incandescents et des roches en suspension, elle laissa le navire impérial, *Le Grand Centaure* et la mer d'Illophène derrière elle.

Sériac n'était pas fâché de mettre le cap sur la planète de type H – c'est-à-dire habitable – la plus proche. Pour se mettre à l'abri, mais aussi pour rendre des comptes à son supérieur.

3

Avez-vous du lait de jondrille?

Planète Vénédrah, système planétaire d'Ypos, quelques semaines plus tard…

Les marchés à ciel ouvert de Vénédroma ont une atmosphère si unique qu'on ne peut confondre cette cité avec aucune autre. Allant d'étal en étal, le lieutenant Sériac Antigor cherchait depuis plus d'une heure ce qu'il lui fallait sans pouvoir, hélas, le trouver.

Cette corvée lui était aussi agréable que d'être plongé dans un bain de boue glacée. Mais Corvéus, qui ne parlait pourtant que par onomatopées et par gestes de la main et des doigts, était formel. Pour la petite, il avait impérativement besoin de lait de jondrille…

Sériac était un homme avant tout pragmatique et logique, entièrement concentré sur ses ambitions personnelles. Il ne se considérait ni comme pire ni comme meilleur qu'un autre. Seulement, disait-il, la vie forge les âmes et les êtres. La sienne avait été suffisamment remplie de péripéties et de coups du sort qu'il qualifiait de «plaisants» ou d'«amusants». Il ne cherchait jamais à les étudier ou à les décortiquer comme le faisaient volontiers ces intellectuels qui l'horripilaient presque autant que les courtisans, les religieux et même certains militaires dont il faisait pourtant partie. Ces quelques contradictions ne l'empêchaient heureusement pas de bien manger, de dormir, et de caresser pour l'avenir de grands rêves de gloire qui dépendaient beaucoup de sa mission actuelle.

Depuis qu'ils avaient laissé derrière eux la caravane impériale aux prises avec les pirates de Marsor, les météorites et les violents courants spatiaux de la mer d'Illophène, Sériac, Corvéus et l'enfant avaient erré dans l'espace. Évitant les relais spatiaux, les gros porteurs de marchandises et plus encore les planètes minières, ils avaient finalement atteint Vénédrah.

Cette planète où régnait le plus parfait chaos social paraissait tout indiquée pour s'y fondre au milieu des malandrins et des trafiquants de toute sorte. Connaissant la place – il y avait déjà accompli plusieurs missions pour le compte du gouvernement d'Ésotéria –, Sériac savait très exactement comment, à partir d'un bouge loué dans les cavernes de Vénédroma, réparer l'émetteur-récepteur qui lui permettrait d'adresser son rapport à son supérieur direct.

Malheureusement, il avait dû très vite déchanter, car l'atmosphère de la planète était extrêmement orageuse en cette saison, et cela nuisait à toutes les communications.

Noyé dans la foule vénédrienne, Sériac cherchait toujours son lait de jondrille. Autour de lui se mêlaient des hommes et des femmes, des enfants et des bêtes dans la plus incroyable tapisserie colorée qu'un touriste puisse imaginer. Le tout au milieu d'odeurs de sucs, de bière chaude, d'épices et de sueur.

Creusée dans les falaises d'une immense montagne de grès rouge, Vénédroma, cité rupestre par excellence, ressemblait à une fourmilière humaine. Rongée sur presque cinquante pour cent de sa masse, la montagne hébergeait pourtant plusieurs centaines de milliers d'âmes.

Les Vénédriens sont pour la plupart de petite taille. Ils vont et viennent, engoncés dans des robes de coton de couleur, et gardent leur visage couvert par un bonnet à longues tresses appelé «toumeck».

Dans les ruelles à pic encombrées planaient les échos nostalgiques d'une musique poignante obtenue en jouant du karsang, sorte de grande harpe à cordes multiples faite de boyaux d'animaux. Les enfants jouaient librement dans cette indescriptible mosaïque humaine. Quand ils voyaient un étranger, ils lui présentaient la paume de leurs mains, teinte en noir ou en doré, et cherchaient à l'attendrir pour en soutirer quelques pièces.

Sériac leur envoyait son regard le plus sombre pour les effrayer. Mais les enfants riaient entre eux et ne le quittaient pas d'une semelle. Savaient-ils où il pourrait trouver un peu de lait de jondrille? Si oui, ils recevraient une poignée de pièces.

Les enfants secouaient leurs mains devant son visage. Ils ne comprenaient rien à cause de son accent ésotérique. Le henné doré ou noir exhalait des odeurs tantôt âcres, tantôt sucrées. Une seconde, ils étaient dix autour de lui. La seconde suivante, tous ces chenapans avaient disparu!

De temps en temps, un impressionnant barrissement s'élevait, dominant le brouhaha de la foule de négociants et celle, encore plus cacophonique, de leurs clients. Au coin d'une rue accrochée à flanc de montagne surgissait un dronovore, un énorme pachyderme. Monté par un gory, son pilote, le mastodonte portait sur son dos une nacelle en osier contenant diverses marchandises. Utilisé comme bête de somme, le dronovore était aussi représentatif de Vénédrah que son soleil rouge, ses longs étés caniculaires et son système social gouverné par des potentats locaux imbus de leur pouvoir et toujours en guerre les uns contre les autres.

On disait que l'enlèvement de touristes était un sport pratiqué avec raffinement sur Vénédrah. Sériac ne craignait certes pas d'être capturé. Fin limier, il savait flairer le danger. Tireur d'élite et habile escrimeur, il avait prouvé son courage et son savoir-faire des dizaines de fois.

S'il avait parfois l'impression d'être épié, il savait aussi que l'insécurité sociale dans laquelle baignait la planète était à elle seule un gage formel qu'aucun agent impérial n'était présent autour de ces étals. Son seul problème, en fait, tenait à son impossibilité de dénicher ne serait-ce qu'un seul litre de lait de jondrille.

Corvéus, il le savait, était un idiot-né. Avait-on réellement besoin de ce lait pour la petite ? N'avait-elle pas survécu sans cela des semaines durant avec du lait en canette congelé, des biscuits rassis et des fruits séchés qu'il réhydratait aux micro-ondes ?

Mais le colosse s'était attaché à l'enfant. En s'informant une énième fois auprès d'un marchand – Sériac était chaque fois obligé, tout d'abord, d'expliquer ce qu'était une jondrille –, le lieutenant songea combien son acolyte s'investissait émotionnellement dans la garde de la fillette. Ce qui n'était à son avis pas une bonne idée.

« Il la nourrit, il la berce, il lui chante des berceuses. Enfin, il marmonne comme une vieille nourrice ! Fort heureusement, il la conduit aussi lui-même aux toilettes même si elle crie et pleure comme une vraie teigne ! »

Corvéus avait aussi confectionné des vêtements de nuit à l'aide de morceaux de tissu qu'il avait découpé dans les uniformes trouvés à bord de la nacelle de sauvetage. Le colosse les avait taillés. Puis, en utilisant des bouts de ficelles, il avait assemblé des sortes de culottes dont il emmaillotait l'enfant.

L'odeur d'excrément qui avait empuanti la navette durant la dernière semaine pesait encore sur le cœur de Sériac. Corvéus, pourtant, s'acquittait de ces tâches avec entrain. Jamais, en vérité, Sériac ne l'avait vu d'aussi bonne humeur !

Corvéus et lui avaient arrangé un espace sur un des lits repliables de la nacelle, avec des coussins et des couvertures, pour que la fillette ne tombe pas sur le sol. Méthodique, le colosse avait tenu à ce que cette couchette soit la plus sécuritaire possible. Sériac l'avait aidé, au début. Puis, se rendant compte à quel point ils étaient ridicules, il l'avait laissé faire tout seul.

Le lieutenant était ensuite venu avec l'idée de l'étrangler dans son sommeil. Après tout, n'était-ce pas son devoir ?

Alors qu'il approchait ses mains de la fillette, il avait senti ce voile mauve tomber de nouveau sur son visage et ses épaules. Il avait lutté pour se libérer de cette prison douce et lumineuse qui faisait appel à ce qu'il avait de meilleur en lui.

« Lutter est un mot encore trop faible, se dit-il. J'ai crié. J'ai hurlé pour échapper à ce voile et à ces mots qui murmuraient à mes oreilles… »

Que lui disait cette voix de femme diaphane et éthérée ?

«Ne fais pas cela, tu le regretteras. Ton avenir et ta vie, même, dépendent de cette enfant. Ne le sens-tu pas?»

Il avait donc lutté contre lui-même. Soudain, une poigne l'avait arraché à l'enfant. Il s'était retourné, essoufflé et fiévreux. Corvéus se tenait devant lui, immense, menaçant.

Sériac avait compris à ce moment-là qu'une force mystérieuse protégeait l'enfant. Et que cette force s'était fait un complice de Corvéus.

L'image la plus forte que Sériac gardait du colosse et de l'enfant était éloquente. Le tueur chauve au faciès de poupon berçait la fillette qui dormait dans ses bras musculeux. Cette image était si étonnante, considérant la brutalité dont Corvéus était capable, qu'elle restait gravée devant ses yeux alors que Sériac tentait de trouver son chemin au milieu des étals du marché.

«Je suis un imbécile! se fustigea-t-il. Je devrais être en train de chercher un moyen de communiquer avec…» Il n'osait énoncer, même en pensée, le nom de celui qui l'avait engagé. «Au lieu de cela, je cherche bêtement un marchand qui me vendra du lait de jondrille pour la petite!»

Il sourit, cependant, à l'idée que sa mission allait bon train. Il avait accompagné le couple impérial durant leur voyage, avait assisté à de nombreux repas officiels du prince, de la princesse, des vice-rois et des gouverneurs. Il avait même, une fois ou deux, joué avec le jeune prince Solarion et la fillette ! Lorsque le moment était venu, il avait pris contact avec certains hauts fonctionnaires impériaux, ses complices. Un à un, il avait introduit ses propres hommes dans la garde rapprochée du prince Éristophane. Le piège s'était refermé en douceur sans que personne s'en aperçoive.

Depuis la nuit du désastre, Sériac avait pu suivre sporadiquement les nouvelles qu'en donnaient les médias interstellaires. L'issue du drame dépassait ses attentes et sans doute celles de son supérieur.

Tous les bâtiments de la caravane impériale avaient sombré dans la mer d'Illophène – ce qui en soi était une bonne chose. Mieux encore, Marsor le pirate était pointé comme seul responsable de la tuerie !

Sériac ne comprenait toujours pas pourquoi le grand pirate s'était retrouvé dans leurs pattes au moment précis où les capitaines de plusieurs des vaisseaux de la flotte s'étaient rendu compte que leurs instruments avaient été sabotés.

Il ignorait également pourquoi son supérieur avait tenu à éliminer de manière aussi brutale une bonne moitié de la famille impériale. Cette fois encore, ce n'étaient pas ses affaires.

Le lieutenant s'arrêta devant un marchand qu'il se jura bien être le dernier à qui il quémanderait :

— Avez-vous du…

Il baragouina les mots dans son vénédronien rudimentaire, guetta la réaction du négociant. Parlait-il l'ésotérien ? Parfait ! Il saurait sans doute ce qu'est une jondrille.

– Pas de lait de jondrille ? s'exclama Sériac, dépité, après avoir écouté la réponse du marchand.

Estimant qu'il avait assez fait l'idiot pour la journée, il décida de rentrer. L'enfant se passerait de lait de jondrille.

La chaleur de l'après-midi était étouffante. Le lieutenant avait hâte, à présent, de rentrer dans leur chambre de location. Il dirait à Corvéus que personne, à Vénédroma, ne savait qu'une jondrille était une sorte d'autruche au plumage multicolore vivant d'habitude dans les vastes plaines d'Ésotéria. Et que la fillette devrait se passer de ce lait que le colosse croyait si riche en minéraux et en vitamines.

« On lui donnera à boire du lait de dronovore, et c'est tout. Fin de la discussion. Ces bêtes-là doivent en produire des tonnes de litres ! »

Épuisé par ses déambulations, Sériac ne souhaitait plus qu'une chose : s'affaler sur un fauteuil et boire de cette liqueur fraîche, alcoolisée et piquante, que l'on servait dans les bouges de Vénédroma. Il était à ce point traumatisé par sa journée que s'il n'avait pas tenu à dénicher ce maudit lait de jondrille pour la petite, il se serait rendu directement dans un de ces endroits pour tout oublier.

Hélas, à son retour, la figure de Corvéus était si catastrophée que Sériac comprit qu'il n'était pas près de se reposer.

— Comment ? Que dis-tu, espèce de gros abruti congénital ?

Le colosse geignait et pleurait tout à la fois. Ses gestes étaient saccadés, ses bre-douillages si hachurés que Sériac ne saisissait pas un traître mot de son ridicule babillage.

— Et d'abord, où est-elle ? s'impatienta-t-il.

Il ajouta qu'il ne comprenait pas pourquoi, aussi, une sorte de mélasse gluante dégoulinait sur le crâne couturé de cicatrices de son complice.

— Des enfants, dis-tu ?

Les yeux de Sériac s'écarquillèrent, car il craignait de comprendre…

Le souffle court, il chercha la fillette, puis revint se tenir devant le colosse dont les monstrueuses épaules tressaillaient.

— Tu l'as… quoi ?

Le lieutenant lâcha un cri de rage. Pour finir, il se laissa tomber sur un canapé éventré.

Lorsqu'il recouvra son calme, il secoua le menton et se prit la tête dans les mains.

— Tu veux dire que des enfants sont entrés pendant que tu lavais des couches, qu'ils t'ont versé par-derrière une soupe sur la tête… et qu'ils t'ont volé l'enfant ?

Sériac ne supportait plus les pleurs et les gémissements pitoyables de son acolyte.

— Corvéus ! Corvéus ! s'emporta-t-il avant de s'interrompre brusquement.

Il se mit à réfléchir.

Ce qu'il déclara ensuite fit redoubler les jérémiades du colosse.

— Ainsi donc, l'enfant nous a été… enlevée !

Il rit. Doucement d'abord, puis sans plus pouvoir se retenir.

— Nous devions l'assassiner, Corvéus. Ne comprends-tu pas que cet enlèvement providentiel nous sauve la mise !

Ils pouvaient en effet rentrer sur Ésotéria, rencontrer celui qui avait initié et organisé la tuerie, et lui avouer sans vraiment mentir que leur mission était un succès complet…

4

Entrevue en bulljet

C'était avant tout une question de masque.

En cette époque de l'année, Hauzarex, la capitale de la planète Ésotéria, était en effervescence. Festivals, fêtes, spectacles, défilés et carnavals s'y succédaient.

Les quais longeant les plateformes tri-gonométriques en verre du bulljet étaient encombrés par une foule enjouée, maquillée et déguisée. Quand revenait le printemps, les grosses compagnies savaient flairer les masques à la mode, et elles se dépêchaient d'en produire des millions d'exemplaires. Les années précédentes, celui de Marsor le pirate avait été très populaire. Mais considérant les derniers événements, le lieutenant Sériac n'était pas surpris de ne voir aucun forban déambuler dans la foule. Il y avait par contre énormément de postiches de lions blancs : un

 45

des déguisements les plus populaires depuis des décennies.

Sériac se rendait compte avec satisfaction que son masque de lion noir n'était pas très original : nombre de citadins montant à tour de rôle sur les plateformes d'embarquement en portaient de semblables.

L'officier attendait depuis plus d'une heure. Sa nervosité grandissait à vue d'œil. Il savait que son supérieur était un important personnage du gouvernement impérial. Oserait-il venir lui-même au rendez-vous ?

Sériac et Corvéus n'avaient regagné la capitale que la veille au soir. « Et franchement, se disait le lieutenant en se retenant de tourner de l'œil, avec tous ces gens autour de moi et la différence de pression dans l'air de cette planète, je vais me trouver mal… »

D'ordinaire, en effet, l'organisme mettait quelques jours avant de s'adapter à l'atmosphère d'Ésotéria. Le phénomène était semblable sur toutes les planètes, car si elles étaient de catégorie H, elles l'étaient à des degrés divers ; différences infimes, parfois, mais assez tout de même pour impliquer une réaction et une réadaptation complète du métabolisme.

Pour ne pas se laisser aller au découragement, voire à la colère, Sériac contemplait les bulles énergétiques qui se formaient autour des voyageurs.

Le système de transport municipal par bulljet permettait à un citadin de voyager d'un point A à un point B presque sans avoir l'impression de se mouvoir. La bulle l'enveloppait. Puis elle se déplaçait selon un itinéraire préétabli. Le voyageur avait la possibilité de contrôler la vitesse de sa bulle personnelle qui se désactivait automatiquement dès que la destination était atteinte.

Le transport en bulle n'était, bien entendu, pas gratuit. Cela n'empêchait pas des millions de citadins de l'utiliser chaque jour.

Sériac se disait qu'il n'était pas monté à bord d'une bulle depuis des années quand il sentit qu'on lui tapotait le bras…

Il se raidit et chercha d'instinct l'étui de son pistolaser. Mais il dévisagea le masque triste de la personne qui lui faisait face et comprit que son supérieur était enfin arrivé.

— Si nous allions faire un tour ? lui proposa l'homme.

Il y avait tant de monde, sur les quais, que Sériac admira l'ingéniosité de son complice. Il y avait aussi tellement d'espions, de caméras de surveillance, de policiers en civil et de membres des services secrets appartenant à toutes les planètes-États de l'empire que le bulljet restait un des endroits les plus sécuritaires pour cette entrevue secrète.

Ils montèrent sur une plateforme et commandèrent une bulle élargie à deux places. L'homme triste (son masque était celui d'un célèbre clown pleureur) était de petite taille. Il portait un costume aussi neutre que possible et ressemblait à des milliers d'autres. Il présenta sa bague devant le lecteur optique. Un ectoplasme opaque – il était possible de se faire livrer des bulles qui ne soient ni colorées ni transparentes – fut aussitôt produit par les générateurs en forme de tuyères suspendus au-dessus de leur tête.

Sériac songea que cette bague, qui contenait l'identité et les informations bancaires et médicales de son propriétaire, devait être fausse. Un instant plus tard, ils se sentirent suspendus dans le vide. Puis la bulle commença à se déplacer.

Le lieutenant avait oublié combien la sensation était agréable. Ni haut-le-cœur, ni sueur froide, ni vertige.

L'homme triste ne s'excusa pas pour le panorama grandiose de la ville, qu'à cause de l'opacité de la bulle ils ne voyaient presque pas. Il contrôlait la trajectoire de la bulle par la pensée et désirait avant tout obtenir du lieutenant les informations dont il avait besoin.

— Votre Grâce, commença Sériac, l'opération a été une réussite complète.

Son supérieur se racla la gorge :

— Pas exactement, lieutenant. Si les parents du prince Solarion sont bel et bien morts avec toute leur suite, Thoranus, lui, a survécu.

Il se tut durant une seconde et reprit :

— Le prince Solarion, bien entendu, est vivant. Mais la chose était voulue.

Il dévisagea le lieutenant par masque interposé. Ce dernier comprit la question muette, inspira profondément et répondit :

— La Pure est morte… étranglée.

Sériac crut entendre un soupir de soulagement presque imperceptible s'échapper de la bouche de son interlocuteur.

« Ainsi donc, se dit-il, l'opération visait à faire place nette. Mais dans quel but ? »

Son supérieur sembla suivre son raisonnement, car son ton se fit plus cassant :

— Il n'est pas bon pour quiconque d'en savoir trop sur un événement aussi compromettant.

Sériac n'était pas homme à se laisser impressionner. Mais il y avait une réelle froideur, presque une inhumanité, dans ce petit bonhomme ventripotent qui contrôlait non seulement le conseil impérial, mais aussi une partie du monde des affaires et celui des médias.

Comprenant que son interlocuteur utilisait peut-être un de ces lecteurs psytroniques qui permettent de lire dans les pensées d'autrui, le lieutenant se força à refouler toute image ou souvenir de la planète Vénédrah. La Pure avait été étranglée dans son petit lit à bord du *SSI Chrisabelle,* puis livrée aux flammes, point à la ligne !

Ils lévitaient à présent au-dessus du centre-ville : un immense périmètre à l'esthétique parfaite où les immeubles ressemblaient à de véritables flèches. À gauche de l'homme triste se profilaient les domaines entourant le palais impérial de Luminéa – le lieu de résidence de l'impératrice Chrisabelle et de sa famille.

Sériac imagina un instant le désespoir de la souveraine qui avait vu partir son fils préféré et qui ne pouvait plus, désormais, serrer dans ses bras que Thoranus, son neveu, ainsi que son unique petit-fils : tous deux forcément en état de choc.

L'homme triste poursuivit :

— L'heure est venue pour vous de disparaître pendant un certain temps. Il va y avoir une enquête officielle. Connaissant les commissaires, les sénateurs et la lenteur des procédures, elle durera sûrement plusieurs années. Heureusement, l'empire est vaste !

Sériac ouvrit la bouche.

— Vos gages ? Bien entendu…, le coupa l'autre.

La bulle perdait de l'altitude. Ils survolaient à présent une des dernières futaies encore intactes à la limite territoriale de Hauzarex.

Des soldats attendaient qu'ils se posent.

Sériac reconnut l'emblème des gardes noirs du chancelier Védros Cyprian : une compagnie paramilitaire secrète à laquelle il avait déjà appartenu.

L'ectoplasme se posa, puis se désactiva.

Mis à part ces hommes et lui-même, les environs étaient déserts. Le lieutenant crut un instant que son supérieur lui avait tendu un piège. Qu'après avoir accompli sa tâche, sa récompense serait la mort. Mais s'il était fourbe, calculateur et cruel, Cyprian était aussi à sa façon un homme de parole.

On remit au lieutenant une cassette pesant plusieurs kilos. Elle contenait des lamelles d'orgon. Ce métal étant celui sur lequel reposait le système financier en vigueur, Sériac n'aurait aucun mal à échanger ses lamelles contre n'importe quelle devise.

— Je récompense toujours la bravoure et la fidélité, lieutenant, lui dit Cyprian en s'éloignant.

Une enfant de cinq ou six ans se faufila entre les gardes. Elle avait des cheveux longs et noirs, un visage émacié et des yeux mauve intense. Un instant, elle dévisagea Sériac. La fillette esquissa un sourire étrange qu'elle ne termina pas, puis elle obligea son père à la prendre dans ses bras.

— Anastara! Anastara! la réprimanda gentiment le grand chancelier impérial en riant.

Sériac avait hâte de quitter cet endroit sinistre.

Lorsque la bulle se reforma autour de lui, il eut l'intuition que rien, malgré les apparences, n'était terminé. La Pure était-elle vraiment morte? Ou bien avait-elle été enlevée pour être vendue comme esclave?

Son instinct – il refuserait toujours de croire en l'existence des dieux – lui soufflait que la Pure, le prince Solarion ainsi que Védros Cyprian de même que la toute jeune

Anastara feraient un jour partie intégrante de son avenir.

Mais pour l'heure, il n'avait d'autre envie que de s'enfuir le plus loin possible.

«Monte! Monte! Monte!» ordonna-t-il mentalement à la bulle.

Il craignit qu'une décharge de plasma tirée par un garde noir ne le pulvérise en plein vol.

Lorsque son engin se fut suffisamment éloigné, il soupira d'aise et se remit à tirer des plans. Il allait rejoindre Corvéus et ils quitteraient ensemble Ésotéria pour une destination inconnue. Il fallait se mettre au vert comme le lui avait suggéré Cyprian.

5

Un couple d'étrangers

L'homme et la femme avaient la mine basse. Venus de la lointaine planète Ectaïr pour récupérer les cendres de leur fils et de leur belle-fille, ils attendaient depuis des heures devant un guichet au milieu des mineurs qui allaient et venaient. Ils étaient peu habitués aux sulfates, et l'âcre odeur du mytane d'harmathe, le métal rare qui était chaque jour extrait des roches en suspension dans cette partie reculée de l'espace, leur soulevait le cœur.

L'accident qui avait coûté la vie à Guiso et Uphélie Gandrak était survenu au cours d'une traversée de « la Grande Noire ». Accident dramatique, car de nombreuses navettes circulaient chaque jour sur cette voie et, d'ordinaire, les oscillations, ces mouvements nomades qui agitaient les blocs en suspension,

 55

étaient assez rares, voire quasi inexistantes. Mais comme l'avait si justement expliqué le directeur de la station minière aux parents éplorés, ces oscillations étaient un phénomène réel malheureusement indétectable. La navette transportant une vingtaine d'employés, dont Guiso, ingénieur, et sa femme Uphélie, nanométriste de grand talent, avait été broyée par un bloc de deux kilomètres carrés qui s'était subitement décroché de son orbite.

Le père du jeune ingénieur avait une cinquantaine d'années. Petit de taille comme de stature, il n'en promenait pas moins sur les lieux et les gens un regard intense, embué certes d'un mélange de tristesse et de révolte impuissante, mais cependant ferme et intelligent.

Falob Gandrak était originaire de la planète Ectaïr : un monde éloigné des grandes voies de circulations impériales et qui, pourtant, était familier à la plupart des citoyens de l'empire d'Ésotéria. L'homme n'était pas beau et ne l'avait sans doute jamais été. Il possédait néanmoins une fougue et une autorité naturelle qui lui avaient permis, à peine débarqué sur la station minière, de réclamer une entrevue privée avec le directeur.

Il était ressorti du bureau du fonctionnaire en colère et brisé. Le sort s'acharnait une fois encore sur sa famille. Tout d'abord, son fils unique avait achevé, contre son gré, des études d'ingénieur minier. Puis, il y avait eu le départ et le mariage de Guiso avec Uphélie, une fille non pas née sur une planète, mais à bord d'un complexe minier comme celui sur lequel, finalement, ils avaient perdu la vie.

Guiso et son père s'étaient brouillés pour ne jamais plus se revoir… Jusqu'à ce jour où avec Phédrine, sa femme, Falob avait dû identifier le corps méconnaissable de leur fils.

Une main chaude se posa sur la sienne. Il cligna des yeux, fit le point sur le visage rond, blanc et farineux de sa femme. Phédrine était originaire d'une famille de colons ectaïriens venus sur la planète tout au début de son exploitation par les impériaux. Tous deux s'étaient vus et aimés dès le premier regard. Un seul enfant, hélas, était né de cette belle et longue union. Ils avaient cependant connu tous les autres bonheurs : amour, entente, complicité, santé.

Phédrine lui indiqua le guichet enfin libéré.

Cette longue station assise avait ankylosé Falob. Pourtant, il se redressa avec la vigueur qu'il mettait dans toute chose. Après avoir demandé à sa femme de l'attendre, il marcha jusqu'au guichet.

Il tendit au fonctionnaire le document que lui avait remis le directeur de la station minière, et s'enquit :

— Eh bien ?

Le vieux guichetier savait jauger les hommes. Toute l'année, il avait affaire à des miniers, à des ingénieurs, à ceux que l'on appelait en riant les «concasseurs de pierre». Il était même familier avec les hommes d'affaires et les directeurs. Mais en voyant arriver ce petit bonhomme au regard si autoritaire, il ne sut comment s'y prendre. Surtout parce que la démarche était très inhabituelle : en effet, alors que le guichetier était le dépositaire des objets trouvés, voilà qu'il devait remettre à cet homme un…

— Je ne comprends pas, ajouta Falob Gandrak. Y a-t-il un problème ?

Le guichetier n'aima pas ce ton de commandement. Pour qui se prenait cet étranger ?

— Nom, prénom, identité complète, numéro d'identification NIIT, je vous prie.

— Gandrak, Falop, directeur du grand parc impérial d'animaux sauvages de Fendora,

Ectaïr. Numéro d'Identification Impérial Temporel…

Il aboya plutôt qu'il ne déclara son matricule universel, que le guichetier s'empressa de vérifier dans son ordinateur.

— Pourquoi autant de formalités pour récupérer les effets personnels de mon fils et de sa femme ? s'emporta le petit homme.

Le fonctionnaire renifla bruyamment. N'avait-on pas prévenu ce monsieur que l'on devait plutôt lui remettre un…

— Veuillez attendre un instant, s'il vous plaît.

Falob se retourna vers sa femme qui commençait elle aussi à s'impatienter et à étouffer dans ce lieu métallique, sombre, crasseux et puant qui constituait le hall de la station.

Par une étroite baie vitrée au contour boulonné, ils apercevaient le va-et-vient constant des bennes spatiales et, plus loin encore, la silhouette monstrueuse des météorites en suspension. Le contour de la planète morte près de laquelle orbitait la station était, lui, à peine visible tant les projecteurs robotisés éclairaient vivement ce coin de l'espace sidéral. À tel point, d'ailleurs, que l'étoile rouge Ypos autour de laquelle orbitait entre autres la petite planète Vénédrah paraissait minuscule.

« Que se passe-t-il ? » voulait demander Phédrine à son mari.

Le guichetier revint quelques instants plus tard. Dans ses bras, il tenait un jeune enfant.

Falob écarquilla les yeux. Le sang se retira de son visage. Son souffle devint rauque.

— Qu'est-ce que… ceci ? bredouilla-t-il.

— C'est l'enfant de votre fils et de votre belle-fille, monsieur.

— Un enfant ?

— L'ignoriez-vous ?

Falob ne sut quoi répondre. Son fils et lui ne se parlaient plus depuis quatre longues années.

— Ils ont eu un enfant ? répéta-t-il, hébété.

Le guichetier consulta un registre informatisé.

— Adoptif, précisa-t-il. Elle vient de Vénédrah.

— Elle ?

Falob détailla les traits du bambin et se rendit à l'évidence : il s'agissait bien d'une petite fille d'environ deux ans et demi ou trois ans.

Le teint blanc, le visage ovale mangé par des yeux verts étincelants, une chevelure orange qui avait l'air indisciplinée. Une ride, sur le front minuscule, dénotait au même instant une profonde réflexion chez la fillette. Son regard était si pénétrant que Falob se demanda si elle était normale et, le cas échéant, à quoi elle pouvait bien penser.

Le temps semblait suspendu. Derrière Falob, d'autres employés attendaient d'être reçus par le guichetier.

— Alors ? s'enquit ce dernier.

— Quoi ?

— Vous la prenez ou pas ?

Il lui remit les papiers d'identité de la fillette. Falob chercha le prénom, mais il n'y avait que le nom de famille : Gandrak.

— Comment se nomme-t-elle ? demanda-t-il en croyant qu'il s'agissait là d'un regrettable oubli.

Le guichetier haussa les épaules.

— L'enfant ne leur avait été livrée que deux jours avant l'accident. Je suppose qu'ils n'ont pas eu le temps de lui trouver de prénom. Maintenant, excusez-moi, mais d'autres personnes patientent aussi, et…

Falob Gandrak prit la fillette contre lui et marcha, comme dans un songe, jusqu'à sa femme qui l'attendait.

Phédrine n'en croyait pas ses yeux. Son mari en pleurs tenait un bébé dans ses bras. En trente années de mariage, c'était bien la première fois qu'elle le voyait verser une larme !

— Par les dieux ! s'exclama la dame en apercevant le visage de l'enfant. Mais d'où vient-elle ?

Falob avala difficilement sa salive. Durant le court laps de temps qu'il lui avait fallu pour franchir les dix mètres qui séparaient le guichet du banc, le directeur du grand parc d'animaux sauvages de Fendora avait eu une vision.

Sa femme s'étonna plus encore devant cette confession.

— Une vision ! répéta Falob en ne pouvant retenir ses larmes. Vinor et Vina me sont apparus…

Phédrine se rembrunit.

— Les dieux Vinor et Vina ?

— Oui. Ils me sont apparus, répéta Falob, extatique.

Il confia la fillette à sa femme qui tendait les bras et la prévint :

— Il faudra bien nous en occuper.

Puis, chuchotant comme s'il craignait qu'on l'entende :

— Les dieux nous confient leur enfant. Elle s'appelle… Storine.

6

Une grande lionne blanche

Planète Ectaïr, province de Ganaë,
quelques mois plus tard.

Lorsqu'on demande à Storine des préci-
sions sur l'événement extraordinaire qui
marqua sa première année passée avec ses
grands-parents adoptifs, elle prétend qu'elle
ne s'en souvient pas. Ce mémorable événement fut pourtant sa rencontre avec les grands
lions blancs d'Ectaïr…

L'été est long et chaud sur la planète. Mais
il n'en a pas toujours été ainsi. Ectaïr est un
monde sorti des mains des scientifiques
impériaux : il doit son habitabilité et son climat
subtropical, spécialement le long de sa ceinture équatoriale, à son atmosphère artificielle

générée par une technologie de pointe placée constamment sous haute surveillance.

Ce jour-là, les abeilles bourdonnaient autour de la petite maison de ceux que la fillette, qui avait finalement commencé à parler, appelait grand-père et grand-mère. Implacable, la chaleur n'était supportable que grâce aux grands arbres aux branches noires et palmées qui ombrageaient la clairière.

La fillette n'avait aucunement conscience de vivre dans un endroit particulier. Pour elle, le barrissement des gronovores et le feulement des fauves étaient des sons aussi naturels que le chant des oiseaux.

L'après-midi était déjà avancé, tout était calme. Sur la véranda sommeillait Phédrine, allongée sur le ventre à cause de douleurs au dos. Storine se reposait dans son petit lit.

La vie de l'enfant se résumait pour l'heure au bleu du ciel traversé par de fins nuages teintés de rouge et par les rayons chatoyants de l'étoile Myrta.

Elle clignait des yeux et babillait joyeusement quand se présentèrent devant son visage un mufle blanc soyeux et deux yeux rouges et étirés dans ce qu'elle décida aussitôt d'appeler un sourire.

Ce ne fut pas elle qui hurla d'effroi.

Phédrine était terrorisée.

En vérité, ce qu'elle craignait depuis des années sans oser se l'avouer venait de se produire : les lions, qui avaient jusqu'alors – par quel miracle ? – évité de s'aventurer près de leur maison, étaient venus.

Appelé d'urgence par microcom, Falob fut sur place quelques minutes plus tard.

Le spacioscooteur atterrit dans le jardin et six gardiens sortirent de ses flancs frappés du sigle du grand parc impérial.

— Toi et tes croyances stupides ! s'écria Phédrine en apercevant son mari.

Elle montrait du doigt les hautes antennes censées générer un champ de force protecteur autour de la maison, mais qui ne fonction-naient plus depuis plusieurs années.

— Les fauves ne viennent pas chez moi ! railla-t-elle, en colère, en paraphrasant son époux. Ils n'enlèvent pas les membres de notre famille !

Ce qui, proféré par une aussi petite et charmante personne, était un spectacle des plus poignants. Son visage était contracté, ses yeux gonflés de pleurs.

— Les fauves savent que je suis leur ami ! disais-tu.

Sachant que sa femme était sur le point de faire une crise de nerfs, Falob ne perdit pas un temps précieux à essayer de la réconforter. Une infirmière faisant partie de son service prit la dame par le bras, et le directeur du parc distribua ses ordres.

L'assistant de Falob, un grand homme maigre qui portait sa casquette et son uniforme réglementaires et au coin de la bouche une longue tige de tiglit, sorte de canne au jus acide très désaltérant, fit son rapport :

— La lionne a été repérée, monsieur.

Il tendit son écran plasmique digital.

— Notre satellite l'a pointé.

— Pouvons-nous obtenir un gros plan ?

L'assistant cracha son bout de canne. Il voyait où son patron voulait en venir et hésitait à lui obéir.

— Faites-le ! gronda Falob en se doutant bien, cependant, que les hésitations de son homme n'étaient dues qu'à la crainte qu'il avait de découvrir l'horrible vérité.

Ils remontèrent à bord du spacioscooteur. Phédrine cria faiblement qu'elle voulait participer au sauvetage, mais l'infirmière l'entraîna doucement à l'intérieur de la maison.

Falob ne s'était jamais imaginé un tel drame. Les mains tremblantes, il attendit que l'image se précise sur l'écran. Le pilote fit un virage sur l'aile droite. Sous eux apparurent des troupeaux de gronovores, de migloux et d'ophalopales, les trois races de frugivores et d'herbivores qui constituaient en cette saison l'ordinaire des grands fauves. Les rubans de poussière que soulevaient les milliers de pattes et de sabots se mélangeaient aux rayons écarlates de Myrta. Cette poussière ensanglantée donnait froid dans le dos de l'homme.

Il avait été trop stupide et confiant.

« Stupide, surtout ! » se critiqua-t-il.

Depuis le premier instant où il avait tenu Storine dans ses bras, à bord de la station minière, il avait naïvement cru que rien ne pourrait jamais arriver à la fillette.

« Et aujourd'hui… »

L'angoisse se lisait sur son visage.

Les lions blancs étaient de nobles animaux respectés et protégés dans l'empire d'Ésotéria, mais également de dangereux fauves.

— Là ! s'écria l'assistant.

D'impressionnants entablements rocheux apparurent sous les frondaisons.

Les cinq autres gardes, fusil spécial au poing, demeuraient silencieux. Tous savaient

 69

que la petite Storine faisait la fierté du directeur. Elle était, leur avait-on dit, la fille de Guiso, le fils disparu de Falob. Tous se rappelaient que Guiso avait failli entreprendre, sous la férule de son père, des études pour devenir lui-même un spécialiste des fauves. Mais qu'au dernier moment il s'était rabattu sur l'ingénierie.

L'image se précisa sur l'écran plasmique. Falob lâcha un soupir de soulagement et ses hommes, éberlués, écarquillèrent les yeux. La fillette vivait toujours, transportée par la sangle de son gilet dans la gueule de la lionne de la même manière qu'un lionceau.

Le directeur essuya une tache de sueur sur son front.

— Prenons position autour du cercle de pierre, dit-il.

Chaque lion était d'ordinaire ferré. Cela signifiait qu'avec bien des soins, des précautions et du matériel de haute sécurité, il avait été capturé et qu'on lui avait inoculé une micropuce chargée de donner à la centrale sa position à chaque heure du jour et de la nuit.

Pourtant, cette lionne-ci n'était pas apparue sur leurs scanneurs.

Et ce cas n'était pas une exception! Il s'avérait que les lions, contrairement aux autres carnivores vivant dans le parc, avaient la capacité d'annihiler la micropuce. De la désactiver, en quelque sorte.

Pour reprendre les explications des vétérinaires qualifiés venus d'Ésotéria, l'organisme des lions blancs, qui étaient dotés de certains pouvoirs psychiques, avait la faculté de neutraliser la micropuce. Ce qui, à brève ou longue échéance, les rendait impossibles à suivre à la trace.

Ils atteignirent enfin les abords du large cercle de roches.

« Pourquoi, se demandait Falob, une lionne s'est-elle déplacée pour enlever Storine ? »

Chaque clan de lions blancs était traditionnellement composé d'un mâle dominant, de femelles et de leurs petits. Il possédait son territoire de chasse, mais ne dédaignait pas suivre les troupeaux. Le mâle dépendait toujours d'un autre, plus puissant que lui, qui était pour ainsi dire le roi. Ce roi régnait sur une vingtaine, voire davantage de clans dans un système féodal bien particulier.

Falob s'était il y a longtemps spécialisé dans l'étude des mœurs des grands lions blancs. Il savait que le cercle de pierre était la tanière estivale du lion-roi de cette partie du vaste parc.

Le spacioscooteur atterrit suffisamment loin du cercle pour ne pas inquiéter les fauves.

Le directeur songeait, le regard vague, que plusieurs clans de lions gîtaient non loin de sa maison.

L'équipe de sauvetage prit position à deux cents mètres des premiers entablements.

Traquer un lion blanc s'avérait souvent mortel pour l'homme. Les touristes qui venaient par millions chaque année traversaient le parc en wagons à sustentations magnétiques blindés entièrement vitrés. Les pistes officielles du parc sillonnaient les territoires de chasse à des heures précises. Avec les années, les fauves en avaient pris l'habitude et ne se souciaient plus de ces intrus.

Il en allait tout autrement avec les braconniers, les riches industriels ou bien les adeptes de sports extrêmes. Les uns comme les autres s'aventuraient dans le parc malgré les miradors et les systèmes complexes de sécurité. Les premiers capturaient des lionceaux pour tenter de les revendre illégalement. Les seconds s'essayaient à ramener une crinière de grand mâle en guise de trophée.

Dans tous les cas, les gardes ramassaient, les jours suivants, des cadavres d'hommes démembrés à proximité des tanières. Souvent, les lions ne daignaient même pas dévorer entièrement leurs victimes. Ils les laissaient là comme de macabres avertissements.

Falob cligna nerveusement des paupières. Depuis qu'il était en poste, nul fou ne s'était introduit dans *son* parc. Ce qui était tout un exploit, compte tenu que le territoire mesurait des centaines de milliers de kilomètres carrés. Quant aux braconniers venus de l'espace – la race la plus vile et la plus dangereuse pour les fauves, car très bien équipée –, on n'avait recensé que trois de leurs attaques en dix ans, toutes survenues durant la saison des orages.

Mais une petite fille égarée dans le territoire central même du parc, voilà une chose qui ne s'était jamais vue !

— Souhaitez-vous que nous fassions une tentative, monsieur ? demanda l'assistant en mâchouillant une nouvelle canne.

Ses jumelles rivées dans les taillis, Falob réservait sa réponse.

Pour l'heure, Storine jouait avec la grande lionne blanche au milieu de ses petits. Un spectacle pour le moins insensé et extraordinaire quand on savait que ces lions se considéraient comme des créatures supérieures à toutes les autres, incluant les êtres humains.

En ces instants où Myrta basculait derrière les frondaisons, Falob songeait aux légendes qui couraient sur les grands lions blancs. Dans les hautes herbes rouges de la savane, la stridulation des goublards et des focyliss – ces insectes émettaient l'essentiel des sons perçus, l'été, dans le parc – se modulait graduellement. Des images fantastiques jaillissaient dans l'esprit de l'homme.

S'il fallait en croire une des légendes les plus répandues, les lions blancs auraient été amenés sur Ectaïr par nul autre que le grand prophète Étyss Nostruss, peu après que son atmosphère fut devenue technologiquement respirable.

Cet homme mystérieux, pourchassé de son vivant par des ennemis qui lui en voulaient de prévoir l'avenir avec une justesse qui leur glaçait le sang, était accompagné, disait-on, par tout un clan de lions blancs.

Deux gardes quittèrent leur position et firent ce que Falob appelait « les mauvais malins ». C'est-à-dire les idiots.

Nouvellement arrivées de la planète Epsilodon, ces recrues devaient vouloir impressionner leur patron.

Quelques secondes suffirent pour que les lionnes – et non pas le grand mâle qui demeurait toujours invisible – dressent l'oreille et repèrent les deux imprudents.

Falob leur cria aussitôt de rebrousser chemin.

Un rugissement éclata dans la brousse. Au coucher de l'étoile, ce grondement saisissait encore davantage qu'en plein jour.

— Les imbéciles vont se rendre compte que…, commença Falob en pointant ses jumelles.

Trop tard.

Les deux hommes s'étaient pris la gorge avec les mains. Blancs comme des linges, les pupilles révulsées, tremblant de tous leurs membres, ils faisaient l'expérience du glortex – cette force psychique qui était l'apanage des grands fauves.

Certains illuminés la considéraient comme d'essence spirituelle. Toujours est-il que le glortex, projeté mentalement à distance par le fauve sur un adversaire, permettait au lion de se défendre sans avoir à utiliser crocs ou griffes.

La victime avait des sueurs froides. Elle éprouvait ensuite des difficultés à respirer. Son cœur s'emballait. Poussé à son paroxysme, le glortex d'un lion-roi avait le pouvoir de tuer.

Falob tenta le tout pour le tout.

— Patron ! s'écria son assistant, horrifié, en le voyant s'élancer vers les deux recrues.

Le vieux directeur sentait son cœur battre à grands coups dans sa poitrine. Il atteignait l'endroit où vacillaient ses deux hommes quand une lionne surgit et se campa à dix mètres de lui.

Les lions blancs mesurent en moyenne un mètre quatre-vingt au garrot et leur longueur totale, incluant la queue, peut dépasser les six mètres.

Cette femelle, toutes griffes dehors et l'échine tendue, était de taille moyenne.

Falob sentit l'influx psychique du fauve l'envelopper. À cet instant, le directeur songea que l'équipement censé les protéger contre le glortex des fauves – que seules certaines bandes de braconniers possédaient à l'heure actuelle – tardait toujours à leur être livré.

Un son épouvantable vrillait ses tempes.

Il se mit à trembler tandis qu'à deux pas ses hommes saignaient du nez, des yeux et des oreilles.

Soudain, un second rugissement fit trembler les hautes frondaisons.

Des fourrés sortit le grand mâle. La crinière orange flottant sur son échine blanche, la foulée souple et longue, il passa à huit mètres du directeur, le dévisagea et s'en fut, accompagné de sa femelle.

L'horrible sensation de suffocation disparut comme par enchantement.

Durant une seconde, Falob avait songé un peu poétiquement que la crinière du lion et la chevelure de Storine étaient identiques. Une autre pensée, plus terre à terre celle-là, lui vint aussitôt. Comment ce lion allait-il réagir à la présence de la fillette dans sa tanière ?

La nuit tombait. Les bruits de la savane changeaient. L'heure, bientôt, serait à la chasse.

Falob hésita. Puis il se rappela l'expression horrifiée de sa femme. Il commanda du renfort ainsi que ces nouvelles armures réputées efficaces à la fois contre les griffes des fauves et – mais c'était uniquement une supposition – contre leurs terribles impulsions psychiques.

Ils n'allumeraient aucun feu et resteraient immobiles jusqu'à ce que le gros des lionnes soit parti chasser, ne laissant que les plus vieilles et les plus jeunes près des entablements.

Pour les gardes allait commencer l'attente…

7

Les fresques

Trois journées éprouvantes s'écoulèrent.

Puis, obéissant à un rugissement du lion-roi, le clan au complet quitta la tanière d'été pour suivre un grand troupeau de fenelles rousses.

Les gardes restèrent ébahis lorsque le directeur leur intima l'ordre de demeurer à l'extérieur des entablements.

— J'y vais, mais seul…

Ils n'avaient revu la fillette qu'à deux reprises depuis qu'ils étaient embusqués. Une première fois, elle se roulait au sol et jouait avec les lionceaux. La seconde, elle était nourrie par la lionne blanche qui l'avait enlevée.

Depuis, une nuit entière et la moitié du jour suivant s'étaient écoulées. Après l'heure de la sieste, les fauves étaient partis. Simplement.

Les mères avaient rassemblé leurs petits. Les nouveau-nés étaient portés dans la gueule de leurs aînés. Les autres suivaient.

Falob disparut dans la tanière. Certains hommes murmurèrent qu'il y avait peu de chances que l'enfant ait survécu. D'autres étaient plus confiants, car d'avoir vu la fillette gambader entre les pattes des lions adultes tenait du miracle.

Un dernier plaisanta :

— Si l'un de nous racontait cette histoire aux médias, il en tirerait un bon prix !

Ce commentaire cynique ramena le calme et la discipline. Le directeur leur avait demandé de surveiller les environs au cas où les lions ne seraient pas encore tous partis, et c'est ce qu'ils allaient faire.

Falob sentait la peur nouer son ventre. Au fur et à mesure qu'il avançait dans la grotte, il regrettait ses dernières décisions. Celle de n'avoir pas contacté sa femme plus souvent par microcom, ne serait-ce que pour la rassurer. Celle, aussi, de n'être pas intervenu, la veille, quand Storine ne jouait qu'à une quinzaine de mètres de sa main tendue.

Des carcasses d'animaux parsemaient la tanière. Des touffes de poils blancs voletaient dans la pénombre. De temps en temps, une trouée de lumière jetait une auréole sanglante sur un rocher, sur une paroi, sur un crâne de fenelle. Il trébucha sur une cage thoracique de gronovore. Un essaim de mouches s'éleva, pour s'agglutiner tout de suite après de nouveau sur l'amas d'os et de chair. L'odeur de sang, d'excréments et de fauve était persistante et collait à sa peau.

Des cailloux se détachèrent d'un remblai. Falob pointa sa lampe…

Une présence indéfinissable planait sur la tanière, et elle ne lui était pas inconnue. Cependant, il hésitait encore à y apposer un nom.

— Storine ! cria-t-il.

L'écho de sa voix se répercuta sous les voûtes. Nul éboulement ne se produisit et l'écho mourut de lui-même.

Il franchit une première salle, puis une seconde. Dans cette dernière, il découvrit le minuscule cadavre d'un lionceau mort-né. Les scientifiques de l'empire, qui se targuaient de bien connaître les mœurs des lions blancs, savaient-ils que, contrairement aux autres carnassiers, ceux-ci ne dévoraient jamais leurs propres petits, même morts ?

Une ombre bougea. Une lampe torche dans une main, un pistolaser dans l'autre, le pauvre homme se sentait au bord de la syncope.

— Grand-pi ! entendit-il.

— Storine ?

La fillette escalada un talus et se laissa choir à ses pieds comme si elle poursuivait un jeu entamé plus tôt.

— Storine ! répéta Falob en lui ouvrant ses bras.

À cet instant, un rayon de jour les prit dans sa mire. La joue de la fillette collée contre la sienne, il fallut au directeur quelques secondes pour réaliser que cette lueur ne provenait pas de Myrta, mais d'une sorte de pulsation mauve luminescente.

— Vina…, murmura alors Falob en reconnaissant enfin le voile de lumière de la déesse.

Storine saisit la main de son grand-père et l'entraîna au fond de la caverne.

— Voir, voir.., insista-t-elle.

Ils escaladèrent plusieurs entablements avant d'atteindre la source du rayonnement.

Toutes sortes d'idées filaient dans la tête du directeur. Certains vieux colons racontaient encore d'étranges histoires sur la genèse de la planète. Entre autres, cette légende qui prétendait qu'avant que l'atmosphère artificielle du globe se mette réellement à fonctionner, Ectaïr avait été enveloppé pendant toute une heure par un immense halo d'énergie violette. Les philosophes et les mystiques s'étaient emparés de ce fait mystérieux. De leurs folles hypothèses était née cette légende.

— Vina…, balbutia encore Falob en découvrant une première fresque qui émergeait doucement de la roche elle-même.

Il s'approcha, sortit ses lunettes, étudia le dessin incertain.

— Une jeune fille installée en croupe sur un lion blanc…

Il longea la paroi, découvrit une autre image.

— Une jeune fille enlacée par un garçon blond…

Storine le tira par la main.

La troisième fresque montrait cette même fille entourée de cinq formules qui s'entrecroisaient et s'interpénétraient au milieu d'éclairs mauves et de mystérieux symboles.

Plusieurs minutes s'écoulèrent. Ils trouvèrent d'autres fresques. Sur la sixième, par exemple, était illustrée une jeune femme à la chevelure orange qui commandait à des hommes. Une septième montrait cette même femme debout sur la croupe d'un immense lion. Tous deux évoluaient en plein espace sidéral. Devant eux scintillait un œil maléfique enveloppé dans une effrayante gangue de lumière.

Ne sachant quoi penser, Falob fit mentalement la somme de ces sept fresques. Deux éléments majeurs s'en dégageaient : la jeune fille et le lion blanc.

Storine le tira vers elle.

— Grand-pi !

L'homme plongea dans les yeux vert ardent de l'enfant et en eut le souffle coupé.

Au-delà de la joie qu'éprouvait la fillette, il décelait en elle une présence plus adulte, plus mature, plus imposante.

« L'âme, se dit-il, émerveillé. Je suis en contact avec l'âme de Storine… »

Le lien établi ne dura qu'une seconde, peut-être moins. Mais il changea à l'instant le rapport existant entre la fillette et son grand-père .

Un grondement sinistre emplit les salles.

— Papa, chantonna gaiement Storine en entraînant Falob.

Le directeur fouilla une nouvelle fois le regard de l'enfant. La porte de son âme s'était refermée. Qu'avait-elle cherché à lui révéler ?

Le lion-roi apparut.

«Mes soupçons, se dit Falob, étaient fondés.»

Il avait certes vu partir la troupe de lions, mais le mâle dominant ne semblait pas les avoir accompagnés.

Falob avala sa salive. Rasséréné par la présence des fresques et par l'expérience ésotérique qu'il venait de vivre, il lança à voix haute, plus par dérision que par défi :

— Ainsi donc, tu t'étais caché. Tu m'attendais.

Debout au sommet d'un entablement, le grand lion paraissait si calme, si maître de la situation que Falob n'eut aucun mal à imaginer sa réponse :

«Je voulais savoir quel homme tu étais avant de te confier ma fille.»

Le directeur n'avait soudain plus peur.

Était-ce parce que Storine lui tenait la main? Ou bien à cause des fresques qui commençaient à se dissoudre dans la buée mauve de Vina?

— Papa, répéta Storine en lâchant Falob.

Elle marcha au-devant du lion qui ne bougeait pas un seul muscle.

Storine enfouit son visage dans sa crinière.

Alors seulement le fauve gronda, mais de plaisir.

Il poussa l'enfant avec son museau vers le directeur, puis il disparut.

Les gardes s'exclamèrent de joie en les voyant ressortir vivants de la grotte.

À cet instant seulement, Falob Gandrak se rappela que dans les textes sacrés du Sakem, le livre écrit par Érakos, le Grand Unificateur, il était mentionné que le dieu Vinor apparaissait traditionnellement aux peuples sous la forme d'un grand lion blanc.

Une phrase apprise autrefois roula dans sa tête.

« Étyss Nostruss mentionne dans ses prophéties une époque de troubles et de misères à venir, et l'arrivée d'une jeune fille que l'on appellera l'Élue et la lionne blanche. »

Mais sa professeure de philosophie, au collège, n'était-elle pas une illuminée qui interprétait les prophéties à sa façon ?

« Peut-être pas », pensa Gandrak en décrochant son microcom pour prévenir sa femme qui devait se ronger les sangs. « Peut-être pas… »

Il arrivait quelquefois que les fauves viennent traîner autour de la maison de Storine. Cela survenait toujours la nuit, lorsque toutes les lampes étaient éteintes et que la maisonnée dormait paisiblement.

Un soir que la brousse était particulièrement fébrile et que les lions grondaient sans cesse – Storine devait avoir cinq ans –, le lion-roi en personne vint rôder dans le jardin.

Falob n'avait jamais fait réparer les antennes du champ magnétique de protection. Il ouvrit les yeux et prit l'arme posée sur sa table de nuit.

Le ciel était limpide, les insectes nocturnes s'étaient tus : chose réellement inhabituelle pour la saison.

Le directeur entendit craquer les lattes du plancher. Son instinct lui dit que Storine s'était levée et qu'elle descendait maintenant les marches. Falob l'imagina, pieds nus et à peine vêtue.

« Elle ouvre la porte vitrée. Elle est sur la terrasse. »

Un frottement retentit, suivi d'un grognement vite étouffé.

« Elle se hisse sur la croupe du lion. »

Phédrine dormait à poings fermés à ses côtés. Toujours un peu nerveuse quand revenait le printemps, elle se bouchait les oreilles avec des tampons de cire.

Falob esquissa le geste de la réveiller, puis il changea d'avis. Sa femme était suffisamment inquiète pour Storine qui devenait bien trop vite indépendante à son goût.

Il tendit de nouveau l'oreille.

La brousse, décidément, était crispée, en attente d'un événement, et les lions anxieux ou bien en liesse : il ne savait trop et cela le laissait frustré et perplexe.

« Mais il sont venus chercher Storine… »

En lutte contre lui-même, Falob se sentait impuissant. Quel homme, quel père pouvait rester sans réaction en pareille circonstance ?

« Si on savait, on me traiterait d'irresponsable et d'inconscient. »

Il imagina les gros titres des médias interstellaires.

« Un directeur de parc abandonne sa petite-fille aux griffes des lions blancs. »

Son frère, l'éminent député Éphilion Gandrak, qui était aussi l'assistant du haut gouverneur de la planète, ne cessait de le mettre en garde à ce sujet :

— Un fauve demeure un fauve. Tu es fou de laisser la petite sortir seule la nuit. Ce n'est qu'une enfant !

Mais Falob avait vu les fresques. Il avait vu l'âme de Storine.

« Personne ne sait ce que je sais. »

Rassuré, il se recoucha.

« Storine ne craint rien, se persuada-t-il. N'est-elle pas, en cet instant même, en compagnie de son véritable père ? »

8

Les cycles de la vie

Deux ans avaient passé.

En atteignant le cercle d'entablements, Storine se rendit tout de suite compte qu'il se passait quelque chose d'étrange. En altitude, des vents violents remuaient des nuages éclairés par des éclairs «secs», comme les qualifiait son grand-père. Les fauves grondaient tous en même temps et sans arrêt. Mais, plus que ces terribles rugissements, la nervosité et l'appréhension étaient palpables.

La fillette avait mal aux mains tant elle s'était fermement accrochée à la crinière du lion blanc pour ne pas tomber en chemin. Du haut de ses sept ans, elle marcha entre les bêtes qui ne lui accordaient aucune attention, et chercha ses amis, les lions.

Nooret, le grand mâle, était fébrile. Craignait-il que les gardiens postés à la limite de sa tanière n'interviennent? Ou bien qu'un autre clan, dirigé par un mâle prétentieux, s'approche et lui lance un défi?

Storine rejoignit les plus jeunes femelles et se tint entre elles.

À ce moment apparurent au sommet d'un talus plusieurs jeunes mâles drapés dans leur folle crinière blanche.

La fillette écarquilla les yeux, car elle reconnaissait certains des membres du clan. Le lion-roi se campa en face d'eux et poussa un feulement redoutable. Respirant au même rythme que les femelles, Storine était comme elles en attente.

Puis, soudain, deux jeunes mâles se détachèrent du groupe et bondirent de concert sur Nooret.

Un flanc lacéré par d'énormes griffes produit un bruit qui glace le sang.

Lorsqu'elle battit des paupières, Storine vit qu'un des jeunes présomptueux était recroquevillé, la gorge et le ventre ouverts, son pelage blanc semé de traînées écarlates.

Nooret tenait la gorge de l'autre fauve dans sa mâchoire et pesait sur lui de tout son poids. On entendit un craquement épouvantable. Le sol trembla lorsque les deux fauves s'affaissèrent.

La fillette savait que ces deux mâles ainsi que plusieurs parmi ceux qui se tenaient encore sur le talus n'étaient pas des enfants issus de Nooret, mais des rejetons de lions plus âgés qui avaient été chassés du clan parce qu'ils devenaient teigneux.

Enfin, le vainqueur s'ébroua. Le grand mâle tremblait sur ses pattes, mais il se relevait! Storine sourit. Imitant les femelles de Nooret qui l'entouraient et léchaient ses multiples plaies, l'enfant se fraya un chemin entre les gueules monstrueuses et les échines dressées, et rejoignit *son* lion blanc.

Sur le talus, les autres mâles dissidents lançaient des appels désespérés. Storine sentait que ces rugissements n'étaient pas destinés à attirer la clémence du lion-roi, mais qu'ils étaient plutôt des invitations adressées aux jeunes femelles qui s'étaient tenues avec la fillette.

Plusieurs d'entre elles répondirent, et le clan se scinda en deux factions. N'ayant pu terrasser le mâle dominant, quelques lions plus jeunes se cherchaient un nouveau groupe. Ainsi se défaisait un clan mature et s'en reformaient un ou plusieurs autres.

Storine aimait écouter parler son grand-père et les gardes du parc. Elle savait grâce à eux que ces jeunes mâles allaient bientôt se battre entre eux pour devenir à leur tour le mâle dominant de la nouvelle famille. Les plus faibles mourraient ou bien fuiraient. Les plus malins resteraient, mais en retrait, se contentant de ce que le roi voudrait bien leur abandonner. Ceux-là n'auraient pas le droit de se reproduire. Storine savait aussi que les jeunes femelles se regrouperaient autour du nouveau mâle dominant et qu'elles engendreraient une autre génération de lionceaux.

Un concert de rugissements réunit l'ancien clan autour de Nooret. Celui-ci grogna une dernière fois pour signifier que les déserteurs ne seraient plus admis sur le territoire. Que, dès lors, ils devraient s'en trouver un nouveau ou bien s'attaquer à un autre clan dont le mâle serait plus vieux ou plus faible.

Peu à peu, le calme revint sur les entablements.

Mais la nuit n'était terminée ni pour les fauves – certains partaient chasser – ni pour Storine qui n'était pas prête à regagner son lit.

Nooret la poussa doucement de son museau ensanglanté et la conduisit à l'intérieur de la grotte où les attendait une lionne sur le point d'accoucher.

Storine était tout énervée. Depuis plusieurs semaines, déjà, elle guettait ce moment…

Elle s'approcha de la future maman qui grognait de douleur en tournant sans cesse sur elle-même. D'autres lionnes se tenaient à proximité. Comment l'aidaient-elles ? Que se disaient-elles ? Aux aguets, Storine voulait tout entendre, tout voir, tout ressentir.

Après bien des grognements, une première boule de poils vint au monde. Dans la pénombre et l'écœurante odeur de sang et de fauve, Storine entrevit les reflets visqueux de la poche d'où s'extrayait le nouveau-né. Quelques minutes plus tard, il en vint un autre, suivi d'une femelle qui, hélas, mourut au bout de quelques minutes.

Storine attendit que la mère ait bien lavé ses petits avant d'oser s'approcher plus près. L'instant était à la fois périlleux et solennel. Exténuée, fiévreuse, à bout de forces et de douleur, la lionne pouvait oublier que la fillette faisait partie du clan.

Aussi Storine patienta-t-elle entre les pattes de Nooret avant de prendre tour à tour les lionceaux dans ses bras.

Les joues humides de larmes, consciente de vivre un moment privilégié, elle blottit leurs petites têtes contre son cou pour qu'ils puissent bien la sentir, et ainsi mémoriser son odeur. Ils étaient encore humides, gluants, collants et à moitié aveugles. Elle frotta son front contre leurs minuscules oreilles.

Le lendemain, à la lumière du jour, elle verrait qu'un des lionceaux portait une tache brune derrière la tête. Pour l'heure, tandis que leurs petites langues râpeuses lui raclaient le nez et les joues, elle les prénomma Fnorr et Griffon.

Elle n'était cependant pas au bout de ses surprises !

À quelques pas de là, une autre lionne du grand lion-roi mettait bas, elle aussi. Elle eut trois femelles, coup sur coup ! La dernière frissonnait. Sans doute avait-elle de la fièvre.

Tandis que la mère s'occupait des deux premières, Storine souleva la petite malade. Son corps bouillait littéralement. Alors, la fillette fit ce que lui dictait son instinct. Elle courut jusqu'à un ruisseau et trempa le nouveau-né dans une vasque naturelle, sans jamais la lâcher. Puis, lorsqu'elle sentit que la température de la petite lionne redevenait normale, elle la prit contre elle, entre sa peau et son chandail de coton, et lui chantonna une berceuse.

Au lever du soleil, elle s'éveilla, toute surprise. Trois lionceaux s'amusaient à lui mordiller les pieds et les mains.

Storine caressa les deux petits mâles. Puis, soulevant la femelle, elle la prénomma Croa.

Trois années plus tard, par une belle journée d'été, Storine se trouvait en compagnie de deux filles et d'un garçon.

C'est grand-mère Phédrine qui avait organisé ce goûter. Boissons fraîches, petits gâteaux maison parfumés aux fleurs de sumark, dont le pollen s'apparentait au miel.

Vinoma, Sharmane et Phrémis étaient ses camarades de classe, à l'école primaire de Fendora. La première était vive, blonde et portait des rubans mauves dans les cheveux en hommage à la déesse. La seconde, plutôt bien en chair, avait des traits gras, des cheveux raides et noirs, une dentition cahoteuse, mais malgré tout un charmant sourire et une nature enjouée.

C'était la première fois que les enfants recevaient de leurs parents la permission de venir goûter à l'intérieur du périmètre du parc dans la maison du directeur. Et pour tout dire, la discussion était depuis une heure ou presque entièrement concentrée sur les nouveaux pylônes de sécurité installés autour du jardin.

Étaient-ils vraiment efficaces ?

Grand-mère Phédrine raconta une anecdote censée tranquilliser Phrémis, le garçon, qui avait dernièrement subi un véritable choc émotionnel.

— Il y a trois jours, deux énormes lions se sont approchés, raconta grand-mère. L'un d'eux était blanc comme la neige. L'autre, blanc également, portait une tache marron derrière les oreilles. Eh bien, figurez-vous que…

Vinoma et Sharmane étaient tout ouïe. Elles ne l'auraient jamais avoué, mais si elles avaient supplié leurs parents de les autoriser à venir chez Storine, c'était pour entendre parler de lions blancs. Le garçon, lui, gardait obstinément le nez dans son verre de jus.

Grand-mère poursuivait en donnant, de temps en temps, quelques coups d'éventail devant son visage.

— … les lions se sont approchés. Comme ils franchissaient la limite du faisceau de protection, ils ont grogné d'effroi et se sont enfuis.

Storine brisa son assiette sur le sol.

Elle détestait quand sa grand-mère, qui était trop contente depuis que grand-père avait enfin accepté de faire réparer le champ de force énergétique, racontait cette histoire.

— Sto! la réprimanda Phédrine. Un service de table hérité de ma famille!

La fillette souffla sur ses mèches rebelles.

— Pas d'effroi, grand-mère, de douleur. Les lions ont grogné de douleur! Cette décharge d'énergie leur a fait mal.

Le visage de Storine était froissé comme si elle ressentait cette douleur dans son propre corps.

Vinoma et Sharmane minaudèrent que ces bêtes sauvages avaient dû faire très peur à la bonne dame.

— Non! les coupa Storine. Grand-mère connaît Fnorr et Griffon.

Elle se leva brusquement.

— N'est-ce pas que tu les connais? Et tu sais bien qu'ils ne te feraient jamais de mal!

Son regard était à ce point sévère que les filles et le garçon reculèrent. Les yeux de Storine viraient du vert au noir.

 99

— Ils ont eu très mal, répéta-t-elle entre ses dents. Ils avaient confiance. Ils ne viendront plus.

Phédrine n'aimait pas quand sa petite-fille prenait ainsi la défense des lions.

— Ils ne font pas de mal, certes, dit-elle en ébouriffant la chevelure de la jeune rebelle, mais ils cassent nos chaises, ils renversent mes plantes et une petite lionne s'amuse même avec ma vaisselle.

Les deux filles restaient immobiles. Le jeune Phrémis grimaça. On racontait, en classe, que Storine connaissait des lions intimement. Aujourd'hui, à la lumière de cette querelle de famille, ils en avaient la preuve formelle.

— Et… ils venaient souvent, avant? demanda ingénument Vinoma.

Grand-mère Phédrine trouvait enfin une oreille attentive à ses angoisses.

— Jour et nuit! Seuls ou bien en bande.

— Nooret, Croa et Fnorr sont venus, oui, avoua Storine. Mais les autres se tiennent toujours à l'écart.

Le vieux lion s'était affaibli avec les années. Cependant, depuis la naissance de ses deux lionceaux, aucun autre mâle n'avait osé lui disputer le pouvoir. En lançant un regard perçant aux pylônes scintillants, Storine songeait que Nooret savait, désormais, que sa présence était indésirable chez elle. Et cette pensée brisait le cœur de la jeune fille.

— Ces bêtes n'ont pas à venir chez vous, vous avez bien raison, madame, intervint Phrémis.

Les manières glacées et faussement polies de Phrémis – un prénom qui sur Ectaïr convenait autant à un garçon qu'à une fille –, son teint lumineux, ses petits yeux à l'éclat de silex et sa mâchoire proéminente ne plaisaient pas à Storine qui sentait, chez ce garçon, une âme plus noire que celle des animaux les plus féroces.

Elle serra les poings et balbutia de fureur:

— Mais ils sont chez eux! C'est nous, au contraire, qui…

— Cela suffit, Storine! la coupa grand-mère Phédrine. Tu n'as pas honte de te conduire ainsi devant tes amis!

Elle insista sur le mot «amis», que la fillette reçut comme un coup de poignard dans le ventre.

Storine et sa grand-mère échangèrent un long regard perçant.

Phédrine avait tout organisé, demandé les permissions aux parents et promis que tout se passerait bien afin de permettre à sa petite-fille de recevoir des amis chez elle. C'est-à-dire de se comporter, pour la première fois de sa vie ou presque, comme une enfant ordinaire.

Phrémis choisit ce moment hautement émotionnel pour lâcher sur un ton venimeux :

— Mon père a été en contact avec un lion, une fois, et…

Sa voix se brisa.

— … et il a fait une attaque. Depuis, il ne parle plus et tout son côté gauche est paralysé.

Storine déglutit. Le garçon et elle se mesurèrent des yeux.

Les pupilles de Storine étaient redevenues vertes. Mais, très vite, elle se rappela pourquoi le père de Phrémis s'était trouvé face à face avec un lion blanc… et ses yeux s'injectèrent d'encre noire.

— Ton père, reprit-elle d'une voix sourde, se trouvait dans le parc sans permission, et il avait un pistolaser dans sa main. Il a voulu tuer un lion pour lui arracher sa crinière. C'est un crime puni par la loi.

Phrémis devint cramoisi, puis il brisa son verre sur le carrelage. Les deux filles s'exclamèrent de stupeur. Grand-mère Phédrine s'excusa du caractère intempestif de sa petite-fille. Pour finir, les jeunes invités quittèrent la terrasse, abandonnant petits gâteaux et verres de jus de sumark doré.

Ce soir-là, en allant se coucher sans manger, Storine ne pensait qu'à ses amis qu'elle sentait présents autour de la maison, à la fois si loin et si près d'elle.

Fnorr, Croa, Griffon…

«Je suis un peu leur maman», songea-t-elle en laissant des larmes blanches couler sur ses joues.

Si on lui avait dit qu'elle s'était fait aujourd'hui trois ennemis qui allaient la persécuter durant les mois à venir, jamais elle ne l'aurait cru…

9

Une journée de classe

Storine oubliait volontairement le bourdonnement continuel des élèves pour guetter les bruits qui venaient du dehors. Assise à son pupitre installé au fond de la classe, elle rêvassait les yeux grands ouverts. Non pas au devoir que l'enseignante leur avait demandé de faire, mais à ses amis félins dont elle sentait la présence à proximité.

La fillette grimaça.

Les lions étaient proches, mais aussi inaccessibles, enfermés derrière les hauts murs d'enceinte du parc.

L'école de Fendora était située à l'orée d'un bois aux troncs noueux et noirs qui jouxtaient le territoire des lions. La route qui longeait les bâtiments conduisait d'ailleurs à l'une des entrées du parc : une porte impressionnante équipée de plusieurs guérites de sécurité surmontée par des miradors. Ce qui expliquait pourquoi il passait devant l'école de nombreux véhicules à sustentation magnétique et, au-dessus de la cour de récréation, des aéroscooteurs et des navettes affrétées spécialement pour transporter les visiteurs du spatioport au parc, et vice-versa.

— Storine !

La voix tranchante de l'enseignante coupa net le fil de ses pensées.

Le manque d'attention de cette enfant réputée sauvage étant légendaire, la moitié de la classe s'esclaffa tandis que l'autre sourit en attendant la suite.

— Et si tu nous résumais ce que je disais ?

Native de Fendora, l'enseignante connaissait bien Storine.

— Alors ? Nous attendons !

Le sujet de leur devoir de l'après-midi était simple. Ce qui n'empêchait pas Storine de rester sans voix.

Assis non loin d'elle, Vinoma et Phrémis se retournèrent. Le garçon indiqua du pouce la photo tridimensionnelle encadrée sur le mur, à côté du tableau digital.

Un déclic se produisit alors dans l'esprit de Storine, qui déclara tout de go :

— La famille impériale. Vous parliez d'elle !

L'enseignante tapota les verres posés sur son nez. Plusieurs élèves soupçonnaient que ces lunettes étaient équipées d'un micro-système de lecture avancé : le genre d'appareil qui pouvait par exemple permettre à l'institutrice de voir à travers le bois du pupitre ou bien de lire à distance ce que vous écriviez sur votre plaque holographique.

La jeune femme soupira. Décidément, il n'y avait rien à faire avec cette petite sauvageonne.

— Nous en avons parlé, certes, mais c'était ce matin.

Parce qu'elle savait combien la jeune fille peinait à s'intégrer dans leur groupe, l'enseignante répéta le sujet de leur étude :

— Quelle place notre planète occupe-t-elle dans l'espace et dans l'économie de l'empire ? En quatre cents mots maximum, avec la structure dont nous avons parlé.

Elle fixa longuement Storine, ce qui fit pouffer de rire les élèves, et dit :

— Introduction, développements un, deux et trois, avec vos arguments, puis votre conclusion.

107

Un nouveau grognement, si ténu que Storine fut la seule à l'entendre sinon à le ressentir, vint une fois encore la distraire.

Phrémis ricana. Elle lui envoya un regard perçant pour le remercier de l'avoir si bien « aidée » tout à l'heure.

Les cours commençaient plus tôt, le matin, que dans n'importe quelle autre école de la cité de Fendora, car le supérieur tenait à ce que ses élèves soient rentrés avant que les touristes ne déferlent sur la route du parc. Cette consigne de sécurité élémentaire ne dérangeait pas Storine qui était une lève-tôt.

En fait, avant même que pointe l'aurore, elle se dressait sur son lit et tendait l'oreille. Puis elle sortait sur la véranda sans faire de bruit et se faufilait entre les hauts pylônes de sécurité selon un parcours extrêmement précis que lui avait montré son grand-père : le seul qui permettait à l'enfant de se glisser hors du champ de protection magnétique invisible sans déclencher l'alarme.

Storine l'avait à son tour montré à Croa, à Fnorr et à Griffon pour qu'ils puissent, si le cœur leur en disait, tôt le matin, venir lui dire un petit bonjour avant qu'elle n'aille en classe.

Et justement, elle pensait à ce qui s'était produit deux jours auparavant lorsque, après avoir guetté leur venue, elle avait enfin vu se profiler, dans le sous-bois entourant sa maison, les silhouettes de Croa et de Griffon.

Elle souriait à ce souvenir, à leurs jeux ainsi qu'aux coups de museau que lui avaient donnés ses deux amis, quand elle sentit encore sur elle le regard affûté de son enseignante.

— Madame Myrtine, dit un des élèves en levant la main, est-ce que les trois développements doivent être mis les uns à la suite des autres ?

Cet élève étant le meilleur de la classe, la jeune femme se détendit. Si lui n'avait pas compris son explication, les autres devaient patauger en plein mystère.

Distraite par la question, elle expliqua de nouveau ce qu'elle entendait en parlant d'introduction, de développements et de conclusion.

Éphébur, le calé de la classe, capta le regard de reconnaissance que lui envoya Storine, et hocha la tête. Tous les garçons ne la considéraient pas comme une sauvage, et elle devait le savoir.

La cloche sonna un peu plus tard.

Là encore, l'heure de la sortie des classes était synchronisée avec celle des touristes du grand parc voisin.

Sur l'esplanade gazonnée semée de plantes rouges et de fleurs aux corolles éclatantes – on était à la fin du printemps – attendaient les parents ou bien les employés envoyés par eux pour chercher les enfants.

Storine ne se faisait pas d'idées. Comme toujours, personne ne l'attendrait. Son grand-père travaillait et grand-mère Phédrine avait ses habituelles douleurs au dos.

Chaque élève marchait vers l'aéroscooteur ou bien le feeleur, sorte de véhicule aux lignes épurées à sustentation magnétique, qui l'attendait. Storine vit tour à tour disparaître dans ces engins Phrémis le prétentieux, Sharmane la geignarde, Vinoma la flamboyante ainsi que plusieurs autres élèves auxquels Storine se refusait à donner des qualificatifs. En dernier, elle aperçut Éphébur, petit, malingre et brillant comme ce n'était pas possible et qui, pourtant, semblait avoir peur de son ombre.

Storine remarqua qu'il était chahuté par plusieurs élèves de leur classe – probablement parce qu'il avait de bonnes notes ainsi que la faveur de madame Myrtine.

Un orage menaçait d'éclater. Dans le ciel roulaient des nuages noirs et gris. Les grondements épouvantables faisaient geindre ceux qui souhaitaient jouer dehors, et sourire ceux qui s'enfermaient chez eux devant leurs écrans digitaux.

Son écran pliable coincé sous le bras, Storine laissa le vent d'orage danser dans ses cheveux et les plis de sa veste.

L'esplanade se vidait peu à peu. Elle surprit les regards pesants de plusieurs enseignants. Madame Myrtine s'engouffra dans le taxi communautaire qui décolla en direction de la cité.

Mais Storine avait appris à vivre avec le jugement des autres. Nul, dans l'école, n'ignorait en effet qu'elle était la petite-fille du directeur du parc, et qu'à ce titre sa maison était située *dans* le parc. Personne n'ignorait non plus, grâce en partie à Vinoma et à Sharmane, que Storine avait des amis géants, blancs, à quatre pattes et aux dents acérées.

Quand on lui en parlait, elle avait également appris à ne jamais vraiment répondre aux questions.

«Tu comprends, lui avait dit un jour son grand-père, expliquer trop les choses ne sert souvent à rien d'autre qu'à aiguiser les jalousies et les peurs. Alors, parle-leur le moins possible de Croa, de Fnorr et des autres. »

Un nouveau grondement fit trembler le ciel.

Ce bruit impressionnant ressemblait tant au rugissement de certains de ses amis qu'un frisson glacé hérissa l'échine de Storine.

Elle souffla sur ses mèches rebelles et se hâta sur la route qui menait à la porte du parc.

Il était déjà tard. Les touristes arrivés le matin pour visiter le parc – ceux qui ne restaient qu'une journée – allaient bientôt ressortir. Si elle ne se pressait pas, elle risquait d'être coincée dans un flot d'hommes, de femmes et d'enfants venus des quatre coins de l'empire.

Storine avait du mal à supporter leurs ricanements et leur attitude suffisante. À son avis, espionner les bêtes, coincé dans des wagons magnétiques vitrés, n'était pas la meilleure façon de les connaître ou de les aimer !

Storine atteignait la première guérite quand l'orage éclata. Elle fit les derniers cent mètres en courant comme une folle sous les trombes d'eau, et se jeta presque dans les bras d'un garde de sécurité.

— Mademoiselle Gandrak !

L'homme la salua avec respect.

Tous les employés la connaissaient et la considéraient un peu comme leur petite princesse. Aucun d'eux n'ignorait en effet comment elle avait été autrefois enlevée, puis nourrie par une grande lionne blanche pendant plusieurs jours.

Cet événement était devenu une anecdote étonnante que les guides racontaient aux touristes.

Storine avait à maintes reprises demandé à son grand-père de le leur défendre. Mais même s'il était d'accord avec elle sur le principe, Falob ne pouvait désobéir aux ordres des gestionnaires du parc qui voyaient d'un bon œil qu'une telle histoire puisse être servie aux touristes, tant il était évident que cet événement donnait en quelque sorte ses lettres de noblesse à leur parc.

Un guide accompagné de son groupe de touristes la croisa devant la guérite et s'exclama fort à propos :

— Voici justement la jeune fille dont je vous parlais. Elle s'appelle Storine !

Aussitôt on l'entoura et on la pressa de questions.

Un autre grondement retentit. Seuls Storine et quelques gardes se rendirent compte qu'il ne s'agissait pas cette fois du tonnerre, mais d'un grand lion blanc qui devait se trouver dans les parages.

Plusieurs hommes s'armèrent de fusils électriques.

Les guides présents, inquiets de se voir presser par les gardes, recommandèrent aux membres de leurs groupes respectifs de se préparer à rembarquer dans les véhicules affrétés par la compagnie. La visite était terminée.

Storine échangea un regard entendu avec les autres employés. Ces rugissements étaient inquiétants.

Une idée fulgurante fusa dans sa tête.

— Nooret ! s'exclama-t-elle.

Le garde qu'elle connaissait bien savait que ce nom désignait le grand lion-roi de cette partie du parc.

Depuis quelques semaines, Storine sentait qu'un drame se préparait dans la savane, et spécialement dans le clan de Nooret.

Un appareil se profila dans le ciel et atterrit à côté des bâtiments de sécurité.

Son grand-père en jaillit. Il était accompagné par trois de ses assistants.

— Fermez les portes du parc ! ordonna-t-il.

Des touristes ramassés plus loin descendaient également du gros transporteur.

— C'est un scandale ! se plaignaient-ils. Nous avons payé pour trois jours, et…

Falob Gandrak les rabroua. Puis il rejoignit Storine qu'il saisit un peu rudement par le bras.

— Ce que tu craignais est arrivé, Sto !

La jeune fille se rappela une de leur dernière conversation au sujet de Nooret.

— C'est… arrivé ? bredouilla-t-elle.

Une question restait en suspens.

— Fnorr ou Griffon ? s'enquit-elle, les larmes aux yeux.

10

Le combat des rois

L'aéroscooteur perça la toile des nuages. Ses flancs scintillèrent sous les rayons obliques de Myrta, puis l'appareil piqua vers le sol et atterrit au pied d'une colline plantée de hautes herbes rouges.

Une équipe au sol attendait impatiemment le directeur.

— Alors? demanda celui-ci en rejoignant ses hommes.

— Le périmètre a été nettoyé, répondit l'un d'eux.

Falob espérait que son garde avait raison, car lorsqu'un danger surgissait dans le parc, leur responsabilité première était de faire évacuer tous les touristes.

Storine avait naturellement suivi son grand-père. Le regard des gardes glissa sur elle. Certains, parmi eux, étaient de vieux collaborateurs présents le jour où Storine, alors bébé, avait été enlevée par une grande lionne blanche. D'autres, arrivés plus tardivement dans l'équipe, avaient entendu cette histoire et ils observaient la jeune fille à la dérobée.

Comment allait-elle réagir ?

Storine était inquiète. Le cou tendu, elle flairait le vent d'orage. Les parfums du ciel et de la terre se mélangeaient à ceux des fleurs, des herbes, des arbres aux ramures détrempées. La jeune fille décelait aussi l'odeur des animaux. Fenelles, gronovores, porcs sauvages, fauves : chaque espèce avait la sienne propre que l'enfant avait appris, au cours de ses nombreuses incursions dans le parc, à différencier, à classifier.

Au bout de quelques secondes, elle indiqua le sommet du monticule.

— Là, derrière…

Les hommes se concertèrent à voix basse.

Storine observait le ciel à présent strié de longs et fins nuages mauves. L'orage avait passé, la soirée venait doucement. Les ombres des arbres palmés, aussi étirées que celles des blocs de rochers rouges, assombrissaient le paysage.

Un bruit furtif alerta Falob.

— Sto! s'étonna-t-il. Mais où vas-tu?

La jeune fille s'élançait en direction du monticule.

La panique gagna les hommes. Parvenue au sommet de la colline, Storine cria qu'elle devait savoir qui, de Fnorr ou de Griffon, était le responsable de ce combat qui se préparait.

Comme pour lui donner raison, d'impressionnants rugissements firent trembler le sol et s'envoler les oiseaux dans les arbres.

Deux minutes plus tard, un garde amena au pied de l'aéroscooteur un couple d'une trentaine d'années. Ils avaient l'air de simples touristes, mais Falob, dont la mémoire était photographique, se rappelait les traits à la fois distingués et sévères de l'homme.

— Monsieur le consul!

Falob adressa un regard courroucé au garde qui avait prétendu que *tous* les civils étaient hors de danger.

La femme avait l'air bouleversée. Son mari lui prit les mains. Mais, loin de la calmer, ce geste l'irrita et elle éclata en sanglots:

— Je vous en prie, monsieur le directeur, vous devez le retrouver!

Falob accusa le coup.

— Retrouver qui?

Storine reconnut sans peine la vaste clairière qui servait de théâtre au duel. Elle vit les silhouettes de deux lions tapis dans les herbes rouges, et les rejoignit.

Croa était fébrile. Storine posa une main sur son encolure, et l'autre sur la crinière de Griffon, très tendu. Le souffle du fauve était rauque. Sa queue dressée à la verticale. Ses yeux rouges, plissés comme deux amandes luminescentes, demeuraient sans expression.

Sa respiration s'interrompit un instant quand la main de l'enfant se posa sur sa tête.

— Fnorr ! laissa-t-elle tomber.

Nooret, le lion-roi de leur clan et de cette partie du parc, se mesurait à son propre fils.

Ainsi en allait-il des lois sauvages. Devenu trop vieux pour veiller sur le clan, Nooret se voyait menacer dans son rôle de chef.

Storine haletait. Depuis ces derniers mois, elle avait guetté et craint la déchéance proche de celui qui, pour elle, incarnait la force, la sagesse et l'autorité.

Les deux lions étaient de taille et de puissance égales. Mais si l'un avait une crinière orange foncé striée de poils gris, l'autre arborait avec insolence une jeune crinière rousse flottant au vent ainsi qu'une tache brune qui descendait sur son épaule droite. L'un et l'autre portaient des cicatrices sur le mufle. Nooret les devait à ses nombreux duels ; Fnorr à ses incartades sur d'autres territoires.

Dans un sens, Storine était soulagée de trouver Fnorr et non pas Griffon en face de Nooret. Elle ne pouvait expliquer pourquoi, mais Griffon avait toujours été son préféré. Pour elle, c'était comme si la tache de naissance de Fnorr le prédestinait d'emblée à des actes brutaux et tragiques.

Après s'être toisés, les deux lions se heurtèrent violemment de l'épaule. Ce n'était qu'une attaque préliminaire. Une façon, pour chacun d'eux, de persuader l'autre d'accepter sa défaite sans aller plus loin.

Mais un lion, même aussi sage que Nooret, ne pouvait déclarer forfait au premier assaut.

« En cela, se disait confusément Storine, les lions ressemblent à certains humains. » Elle n'aurait pas, en effet, imaginé que son grand-père puisse se rendre sans combattre.

Un deuxième assaut, plus puissant que le premier, opposa les fauves.

Storine avait peur. Pour le vieux Nooret, pour Fnorr, pour Griffon et Croa qui assistaient à ce combat alors que, l'enfant le savait, ils n'en avaient pas le droit.

Ces duels étaient d'ordinaire des combats secrets. Par respect pour les deux protagonistes, les autres lions restaient à l'écart, attendant le moment où le vainqueur surgirait pour revendiquer son titre et devenir le nouveau mâle dominant.

Mais Griffon et Croa restaient. Et entre eux se tenait Storine.

À présent, tous trois haletaient. Storine se mordait la langue avec tant de force que le sang vint dans sa bouche.

Fnorr porta le premier coup de griffe et lacéra le flanc de son père. Son rugissement retentit, mais se termina en un râle de douleur quand le vieux fauve s'accrocha à sa gorge et l'écrasa sous son poids.

Griffon frémissait. Storine en devinait la raison. Pour un peu, ça aurait été lui et non pas Fnorr qui se serait battu dans la clairière.

Storine ne réfléchissait pas au bien-fondé de ce duel. Les concepts de fidélité, de respect et d'amour filial n'étant pas applicables aux lions blancs comme ils l'étaient aux hommes, elle ne jugeait pas Fnorr. Elle ne le plaignait pas non plus.

Myrta se couchait sur la gloire de Nooret et devait se lever sur celle d'un nouveau mâle. Voilà tout.

Les deux fauves tournaient l'un autour de l'autre. Des traînées de sang s'écoulaient de leur tête dans leurs yeux. Leurs griffes étaient rougies, leur pelage sali.

D'autres assauts suivirent, jusqu'à ce que la force des deux bêtes s'amenuise.

Fnorr porta à son aîné un terrible coup de griffes sur le mufle. Il prit ensuite sa gorge offerte entre ses crocs et serra.

Storine ne se possédait plus.

— Fnorr ! s'écria-t-elle.

Et malgré ses résolutions de neutralité, elle s'élança.

Mais le vainqueur non plus n'était pas dans son état normal.

Griffon et Croa le sentirent également et bondirent.

Au même instant, une quatrième silhouette se profila dans les herbes. Storine ne se rendit pas compte qu'il s'agissait d'un garçon : bras tendus, elle courait vers Nooret et Fnorr.

Le vainqueur lâcha sa proie et fit volte-face, toutes griffes tendues.

Au sommet de la colline, Falob Gandrak était abasourdi. Sa petite-fille se campait entre deux fauves.

— Sto ! s'écria-t-il, véritablement horrifié.

Fnorr n'était plus lui-même. Croyant être attaqué par un nouvel adversaire, il lâcha un grognement terrible. Puis, levant son énorme patte, il visa la tête de la jeune fille...

Le garçon embusqué hurla.

Storine s'aplatit au sol.

Au-dessus d'elle jaillirent Croa et Griffon, qui harcelèrent tour à tour Fnorr, offusqué et hors de lui.

En se relevant, tout échevelée, Storine vit la masse des trois lions qui s'entremêlaient dans un combat à mort... à cause d'elle !

La rivière coulait près d'eux entre les herbes. Nooret, déjà à moitié enfoncé dans l'eau, y glissa complètement.

Storine sauta dans l'eau à la suite du vieux lion et s'accrocha à lui.

Le garçon inconnu considéra d'un côté les lions qui se battaient férocement entre lui et la colline où attendaient les gardes ; de l'autre, il vit la rivière dans laquelle la fille et le lion blessé s'éloignaient.

Il plongea à son tour...

Combien de temps s'était-il écoulé depuis que Griffon et Croa lui avaient porté secours face à Fnorr? Storine l'ignorait.

À moitié hissée sur le corps de Nooret, elle était pelotonnée contre le flanc mouillé. Le ciel était noir, opaque, sans étoiles.

Le lion gémit doucement. Pourtant, à bien écouter, il ne s'agissait pas d'un gémissement ordinaire…

Et cette obscurité était si angoissante!

Storine bougea lentement. Le corps à moitié plongé dans l'eau, elle ne sentait plus ni ses pieds ni ses jambes.

Une nouvelle plainte s'éleva. Un gronde-ment sinistre lui répondit.

«Le tonnerre», songea Storine.

Se pouvait-il qu'après une accalmie et une éclaircie l'orage soit revenu, plus fort et plus courroucé que plus tôt en soirée?

«Les dieux, se dit-elle, n'ont peut-être pas aimé que Fnorr défie Nooret.»

Le courant décrut et le lion heurta des bancs de rochers. Storine les palpa et comprit, au poli de la pierre, qu'ils se trouvaient en fait à l'intérieur d'une grotte.

Le courant les avait-il entraînés dans un des nombreux bras d'eau qui longeaient les murailles du parc?

«Une caverne mystérieuse», s'émerveilla Storine.

Le froid gagnait maintenant ses hanches.

Dans un ultime effort, elle se traîna sur la grève. Même si ses yeux avaient eu le temps de s'habituer à l'obscurité, elle ne discernait presque rien. Seules la sombre réverbération des stalagmites et plusieurs trouées, dans les parois, jetaient quelques gouttes de jour dans les ténèbres.

— Nooret! appela-t-elle.

Hélas, le vieux lion blanc était mort, et sa carcasse continuait de dériver. Bientôt, elle fut stoppée dans sa course par un enchevêtrement de rochers.

Storine entendit alors distinctement un autre gémissement.

Puis un : «Holà, ma tête!» qui la fit se raidir de stupeur.

Elle écarquilla les yeux dans la pénombre.

— Qui es-tu?

— Bonjour, répondit une voix de garçon.

Quelques secondes s'écoulèrent…

— Ou plutôt «bonne nuit», ajouta-t-il, l'air égaré. Je ne sais pas.

L'accent n'était pas celui des habitants de la région de Fendora. Et même s'il avait parlé en ésotérien, la langue universelle reconnue et employée dans tout l'empire, ce garçon était sûrement un étranger.

— Heu…, que s'est-il passé ? dit-il encore.

Storine n'en revenait pas.

— Mais qui es-tu ? répéta-t-elle, éberluée.

Un autre grondement de tonnerre retentit, grossit, enfla et se répercuta à l'infini dans la caverne.

Un nouveau silence s'installa, ponctué de sourdes vibrations dans le parterre de rochers glissants.

— Il ne faut pas rester là, avertit la jeune fille.

— Pourquoi ?

Elle ne voyait pas le garçon, mais sentait sa présence à quelques mètres d'elle.

— D'où sors-tu ? voulut-elle savoir.

Vivait-il dans la caverne ? Était-il un homme ou bien une créature de la brousse ? Et de quel genre ?

Un grondement, encore, interrompit ses réflexions.

Elle tendit sa main.

— Viens, il faut partir.

127

Une poigne molle attrapa son bras.

Un vrombissement épouvantable gronda et des trombes d'eau envahirent la caverne. Le débit de la rivière quadrupla en quelques secondes. Le choc fut tel que Storine et le mystérieux garçon furent emportés comme des fétus de paille.

Détrempés, crachant, étouffant, ils surnagèrent, puis cahotèrent sur le flot tumultueux pendant de longues minutes.

Storine craignait à chaque instant de périr noyée ou bien broyée contre les rochers. Parfois, un rayonnement mauve l'enveloppait, une voix douce murmurait à son oreille qu'elle n'avait rien à craindre.

Jamais la main du garçon ne lâcha la sienne. Même lorsqu'ils furent rejetés hors de la caverne et qu'ils s'échouèrent sur une berge semée de vase, d'herbes folles et de plantes qui exhalaient une odeur épouvantable.

La nuit était bien installée lorsqu'ils reprirent connaissance.

Des faisceaux de lumière trouaient régulièrement l'obscurité. Storine inspira et sut, sans même avoir besoin d'ouvrir les yeux, qu'ils ne se trouvaient plus dans le parc.

À force d'être éblouis, ils battirent finalement des paupières. Storine fit le point sur le garçon qui s'éveillait à ses côtés.

Il semblait avoir onze ou douze ans et, comme elle, il était mouillé de la tête aux pieds. Ses vêtements étaient déchirés à plusieurs endroits. La jeune fille nota, à la faveur d'une nouvelle éclaboussure de lumière, qu'il avait des yeux aussi verts que les siens, mais dépourvus de cils et de sourcils. Ce qui donnait à son visage maigre et blanc un air un peu effrayant, même s'il souriait et que ses dents étaient belles et régulières. Il portait une sorte de bonnet en cuir greffé sur le front, ce qui cachait entièrement ses cheveux.

— Ces lumières sont des phares de feeleur, dit le garçon d'une voix assurée.

Storine restait muette.

Elle se leva.

— Des feeleurs, tu en es certain ?

Une vérité incroyable émergeait peu à peu dans son esprit.

Elle détailla derrière eux la silhouette des murailles du parc et, au sommet du flanc de ce qui ressemblait à un précipice, les phares de ces appareils qui glissaient sur la route passant juste devant... son école !

Storine repensa au combat des deux lions, à ses amis Croa et Griffon, à l'orage qui avait gonflé les eaux du bras souterrain. Elle se rappela aussi son grand-père qui devait être mort d'inquiétude à son sujet.

La tête lui tournait un peu.

Le garçon se racla la gorge.

— À propos, dit-il simplement, je m'appelle Rémius.

11

La dispute

Storine rêvait qu'elle volait dans un ciel semé d'étoiles et de constellations, de nuages de gaz luminescents et de poussière stellaire. Enveloppée par un voile mauve et diaphane, elle se sentait protégée, à l'abri, même si une vive sensation de vertige faisait battre son cœur.

« Les étoiles, c'est ta voie ! entendit-elle. Tu ne passeras pas toute ta vie sur la planète Ectaïr. »

Le vent qui la poussait lui fit couper la route d'une caravane de vaisseaux spatiaux. L'appareil de proue, sombre et mastoc, arborait fièrement quatre cornes étincelantes. Les bâtiments filèrent, puis se perdirent dans la toile bleu nuit de l'espace.

Un énorme rugissement retentit soudain et fit dévier la course des planètes. Un lion blanc majestueux apparut, la crinière évanescente, les yeux rouges et plissés. Un œil était un peu plus grand que l'autre. Mais était-ce le gauche ou bien le droit?

Le fauve vint se placer devant la jeune fille qui le chevaucha sans aucune peur.

Le contact fut brutal et immédiat. Il enivra Storine comme un vin à la fois sucré et épicé. Elle ne connaissait pas ce lion. Jamais encore elle n'en avait vu de plus beau, de plus fort, de plus noble. Le mot «pur» vint aussi au bord de ses lèvres. Mais elle ne le prononça pas, de peur que ce rêve, comme tous ceux qu'elle faisait depuis quelque temps, ne se change en cauchemar.

«Tu vas bientôt faire sa connaissance, lui dit encore la voix à son oreille. En attendant, vis ta vie sans peine ni souci.»

Ils fendaient l'espace à grande vitesse, doublaient d'impressionnantes étoiles rouge et or, coupaient l'orbite de planètes gazeuses orange, vertes ou noires.

Puis l'espace se contracta et une violente explosion illumina les constellations. Storine se rappela alors une leçon de madame Myrtine.

«Une vieille étoile se transforme en supernova», se dit-elle, fascinée.

D'un amas de poussière en mouvement jaillit une image. Storine avala sa salive et contempla, le souffle court, le beau garçon blond qui souriait et lui tendait les bras.

«Patience, lui susurra encore la voix, tu vas le connaître, lui aussi. Il fera partie de ton destin.»

Ensuite, ce que Storine craignait arriva. L'espace fut gommé par cette main malfaisante et invisible qui s'amusait à métamorphoser ses rêves en cauchemars. Une figure terrible apparut. Un visage maigre d'homme sculpté à coups de couteau, des yeux noirs étincelants, des sourcils broussailleux, des cheveux coupés ras. Un second spectre se pencha sur elle. Imposant, chauve, des traits de poupon, un air ingénu…

Storine savait que ce deuxième homme était sans doute aussi mauvais que le premier.

Lorsque le colosse chauve la prit dans ses bras, elle se mit à pleurer et à hurler.

Ensuite, en nage et toute tremblante, elle s'éveilla.

— Ma chérie?

Storine mit quelques secondes avant de reconnaître la voix de grand-mère Phédrine. Un instant, elle avait cru rêver encore et se trouver très haut dans l'espace, chevauchant le grand lion blanc au milieu du voile étincelant mauve et doux.

Elle sourit. Son rêve était si vivant à sa mémoire qu'elle devait absolument le raconter à quelqu'un.

Mais elle changea d'avis.

Il s'était passé, la veille et le jour d'avant, des événements qui avaient creusé des rides profondes sur le front de sa grand-mère. Et ces vilains traits noirs étaient toujours là même si la dame se forçait à sourire aussi.

— Il est l'heure de te lever, dit-elle. Je suis surprise, d'ailleurs, de te trouver encore au lit. Myrta est levée depuis une heure…

Le sous-entendu fit mal à la jeune fille.

— Grand-père est déjà parti? s'enquit-elle.

Phédrine leva un sourcil surpris. Storine, elle le savait depuis des années, avait des sens décuplés. L'odorat, la vue, l'ouïe, l'instinct.

L'enfant confirma sa réflexion intérieure en déclarant d'une voix chantante:

— Tu m'as fait des crêpes au miel de sumark, ce matin !

Phédrine ne fut pas étonnée que le fumet de ces crêpes soit parvenu aux narines de Storine.

Elles se sourirent encore, mal à l'aise. Les événements des jours précédents continuaient de les séparer malgré elles...

Avant de descendre déjeuner, Storine fit une halte aux toilettes, se rafraîchit le visage, prit une robe de coton propre ainsi que son microcom, sorte de bracelet de communication qu'elle se passa autour du poignet.

L'objet, quoique discret et élégant, était lourd à son bras. Symbole vivant des nouveaux règlements édictés par la dame, il pesait autant sur le cœur de Storine que les rochers constituant les entablements de la tanière de son clan.

Son clan.

Ce mot, justement, avait été au centre de leur dernière dispute.

Après avoir mangé, Storine se prépara pour aller en classe.

Durant le repas, elle avait jeté de fréquents coups d'œil en direction du jardin. Phédrine s'était retenue de lui adresser la moindre remontrance...

D'ordinaire, Storine marchait de leur maison jusqu'aux portes du parc. La distance n'était que d'un kilomètre au plus. La jeune fille avait ses préférences pour s'y rendre : par des sentes connues d'elle seule. Elle n'empruntait jamais la route.

Mais grand-mère Phédrine l'avait bien prévenue :

« Je veux désormais que tu suives la route jusqu'au bout. »

Storine songea avec dépit que son grand-père, présent lors de cette « bagarre de femmes », comme il le disait, n'avait pas osé, cette fois, prendre sa défense.

— Ce qui s'est passé est trop grave ! avait martelé Phédrine.

Elle parlait, bien sûr, du duel survenu entre les deux lions, de l'inconscience de son mari qui avait laissé l'enfant seule dans la savane, de nuit, au milieu des fauves en colère. Elle parlait aussi de l'orage et de la presque noyade de Storine. Qui plus est, la jeune fille avait cette fois entraîné un garçon avec elle !

Storine s'était rebiffée.

Elle n'avait rien fait de mal. Ce jeune touriste, elle ne le connaissait pas. Il s'était égaré, il l'avait suivie. Elle n'était pas responsable de sa fugue.

Elle se leva de table sans rien dire, s'assura de ne pas oublier, comme cela lui arrivait parfois, son écran digital.

— Sto?

Grand-mère Phédrine clignait des paupières et se tenait immobile dans l'entrée en chiffonnant son tablier entre ses mains blanches.

— Oui, grand-mère?

La dame se racla la gorge.

— J'ai demandé à ton grand-père de t'envoyer un scooteur, ce matin. Il t'amènera au poste de garde.

— Mais, je…, se plaignit Storine.

— Ne discute pas.

Ses lèvres tremblèrent. La jeune fille ne dit plus rien. Elle devinait que sa grand-mère avait eu trop peur, l'autre nuit. Une fois de plus…

Elle sortit sur le perron, s'assit sur le banc de bois, attendit.

Lorsqu'elle était rentrée à la maison, frigorifiée, le corps et les cheveux semés de sangsues dont il avait fallu la débarrasser, Storine avait entendu, de sa chambre, le vif échange de paroles entre ses grands-parents.

«Elle aurait pu y rester!» s'était récriée grand-mère Phédrine.

« Enfin, ma chérie, cesse de dramatiser. »

« Je dramatise ! Je dramatise ! Storine s'est enfuie. Elle s'est jetée entre deux lions qui s'affrontaient dans un combat à mort. Elle a passé la nuit dans une caverne lugubre ! Et je dramatise, dis-tu ? »

Elle paraissait à bout de nerfs.

Grand-mère ne haussait jamais la voix, d'habitude. Mais cette nuit-là, surtout après le spectacle horrifiant de ces sangsues que Falob avait détachées du corps de la jeune fille en utilisant un scalpel laser, Phédrine avait éclaté en sanglots.

« Je sais combien tu es angoissée de vivre dans le parc… », avait plaidé Falob.

Storine tendait l'oreille. Cette discussion ne devait pas être nouvelle tant il est vrai que Phédrine, qui ne détestait pourtant pas la vie d'ermite qu'ils menaient depuis des années, était morte de peur depuis que Storine ramenait des lions blancs à la maison, sur la véranda, et jusque sous son nez.

« Est-ce une vie à offrir à une jeune fille ? Un exemple à donner ? »

« Il faut que tu te fasses à l'idée que Sto n'est pas une enfant comme les autres, Phédrine… »

La jeune fille, quoique originale, secrète et sauvage, n'était pas folle. Elle savait que parler avec des lions, sentir leur présence à des kilomètres à la ronde, jouer et se tenir au milieu d'eux n'était pas «naturel». D'ailleurs, chaque jour ou presque, ses camarades de classe le lui faisaient bien sentir.

«Mais c'est plus fort que moi», songea-t-elle en voyant le scooteur apparaître au bout de l'allée fleurie.

En ce moment, par exemple, elle savait que Croa, déjà enceinte de Griffon, n'était pas loin et que Griffon lui-même se préparait à son tour à défier Fnorr pour lui disputer le titre de mâle dominant.

Et, franchement, la perspective de ce nouveau combat l'inquiétait bien davantage que l'exposé oral qu'elle avait soigneusement préparé pour ce matin.

La portière du scooteur glissa. La tête d'un garde se profila dans l'embrasure.

— Mademoiselle Gandrak?

Storine monta à bord de l'engin à sustentation magnétique.

Grand-père avait continué ainsi, et ses paroles tournaient encore dans la tête de la jeune fille:

139

«Tu ne sais pas ce que je sais sur elle, Phédrine. Crois-moi, Sto n'a rien à craindre des lions. Ce sont les hommes et leurs jugements, plutôt, qui me font peur.»

Un silence pesant avait suivi cette déclaration fracassante, et Storine n'avait rien entendu de plus.

— Nous y allons, mademoiselle? demanda impatiemment le garde.

Ramenée à la réalité par le ton sec, Storine acquiesça. Alors que le garde allait repartir, la porte de la maison s'ouvrit et grand-mère Phédrine en sortit.

— Ma chérie?

Storine baissa la vitre.

— Oui!

Toutes deux se regardèrent. Grand-mère clignait des yeux. Les pupilles de Storine étaient sombres et fixes.

— Ma chérie…, reprit Phédrine.

Elle lui entoura le cou avec les bras et ajouta d'une voix contrite:

– Je t'aime, tu sais. Je t'aime tant!

Puis le scooteur vrombit sur ses coussins d'air. Il franchit le kilomètre qui les séparait de l'entrée en une minute. Le garde, zélé, accompagna même la jeune fille jusqu'à son école.

En sortant, Storine avait de nouveau les yeux aussi verts que des pierres précieuses.

En classe, ce matin-là, madame Myrtine présenta un nouvel élève. Les filles gloussèrent devant le garçon. Elles le trouvaient beau et elles avaient parfaitement raison. Il était grand, avait les yeux clairs, un sourire charmeur et les cheveux blonds.

— Voici Rémius, dit l'enseignante. Il est le fils du nouveau consul de Fendora et vient de la planète Epsilodon.

12

L'exposé oral

Storine avait préparé son nouveau devoir
à sa façon : c'est-à-dire entre deux rigolades
avec Griffon qui était désormais le lion-roi
de cette partie du parc, et des câlins à Croa
qui, à présent grosse de sept mois, avait du
mal à se déplacer. Ce matin, en classe, elle se
rendait compte en écoutant d'autres élèves
faire leur exposé qu'elle manquait sérieu-
sement de structure, comme disait madame
Myrtine.

Le sujet, pour une fois, était clair et vraiment intéressant : « Fais-nous découvrir ta
passion. » Certains avaient parlé de sport,
d'autres d'exploration spatiale. Pour ce dernier
exposé, l'enseignante avait précisé que l'on
devait parler d'une passion que l'on exerçait
« ici et maintenant », et non pas d'un rêve que
l'on caressait. Vinoma avait bien sûr parlé de

tissus, de vêtements et de maquillage. Éphébur, lui, s'était attiré des moqueries en évoquant sa passion pour l'histoire géologique et atmosphérique de la planète. Un sujet toujours d'actualité, mais beaucoup trop sérieux et compliqué pour provoquer l'enthousiasme des autres élèves.

Quand arriva le tour de Storine, Phrémis déclara de son ton le plus hautain qu'il savait parfaitement de quoi la jeune fille allait parler. Les autres s'esclaffèrent. Heureusement, la cloche sonna l'heure du repas, ce qui reporta à plus tard la présentation de Storine.

Dans la cafétéria, Storine prit Éphébur à part et lui assura que son exposé était bon, vivant et instructif. Elle-même avait appris quantité de choses concernant le climat d'Ectaïr. Et elle était certaine que, comme toujours, il aurait une bonne note.

— Merci, Storine, lui répondit Éphébur, reconnaissant. Et toi, de quoi parleras-tu ?

— Moi…, hum…

À quelques mètres se tenait Rémius, le nouveau. Storine lui sourit. Le garçon se tourna vers elle quand il fut littéralement assailli par une vague d'admiratrices, dont les plus folles étaient sans doute Vinoma et Sharmane.

Elles le prirent sans gêne chacune par un bras et l'entraînèrent vers la table où les attendaient déjà Phrémis et d'autres garçons et filles.

Le petit Éphébur leva son visage et ses grosses lunettes au plafond, l'air de dire : « Le pauvre, il est cuit ! »

Il demanda à Storine, à la fois gêné et intimidé :

— Tu viens manger ?

Storine aurait aimé dîner à la même table que lui. Pas juste parce qu'ils seraient seuls et que cela aurait fait enrager Vinoma et Phrémis. Mais aussi parce qu'Éphébur aurait pu lui aussi se sentir moins à l'écart.

— Désolée, je dois réviser mon exposé. Une autre fois, je te le promets.

Elle sortit du bâtiment et reçut la lumière rouge orangé de Myrta en pleine figure.

La saison des orages approchait, et avec elle de fortes poussées de chaleur causées par la réorganisation des masses de nuages artificiels dans l'atmosphère.

Éphébur avait clairement expliqué la situation. Durant cette période de l'année, surtout dans leur hémisphère composé principalement de forêts, de plaines et de petites chaînes de montagnes, la « ceinture », telle qu'on appelait l'atmosphère artificielle de la planète, donnait des pluies sur les régions destinées à l'agriculture, ce qui causait des sécheresses dans la région de Fendora. En hiver, par contre, les orages étaient surtout concentrés sur les régions côtières et celles moins tropicales. Éphébur pensait que ces répartitions arbitraires, ordonnées par le HCA, le Haut Conseil Atmosphérique de la planète, servaient principalement les riches compagnies dont l'activité principale était la production et l'exportation d'oxygène vers les autres mondes habités de l'Empire d'Ésotéria.

Son écran pliable sous le bras, Storine courut sous la lumière ardente jusqu'au fond de la cour, et se réfugia sous les ombres fraîches et accueillantes des grands arbres noirs.

Elle s'accroupit et se mit à travailler en essayant de ne pas se laisser distraire par Rémius, qui était bien plus séduisant sans le ridicule bonnet en cuir qu'il portait la nuit de leur rencontre dans le parc.

Plusieurs idées trottaient dans sa tête. Le rêve mystique qu'elle avait fait quelques semaines plus tôt, mais aussi sa fabuleuse découverte de l'autre soir…

Peu à peu, les élèves sortirent de la cafétéria et se rapprochèrent d'elle. Ils voulaient de l'ombre, ce qui était normal, mais aussi très dérangeant pour Storine qui cherchait, elle, de la tranquillité !

Elle songea à grimper dans un arbre et faillit le faire, car elle se moquait de ceux qui auraient pu la traiter de singe ou de sauvageonne. Mais Rémius n'était pas loin et elle ne voulait pas lui donner l'impression qu'elle était si différente des autres filles de l'école.

Ayant révisé son texte et coupé quelques passages qu'elle jugeait trop enfantins, elle abandonna la place au groupe de commères de Vinoma et de Phrémis.

En croisant Rémius, elle surprit son regard vert lumineux et son cœur devint léger. Elle ouvrit la bouche… Ils avaient tant à se dire, spécialement à propos de leur aventure commune de l'autre nuit !

— Rémius, pérora Phrémis, voici la sauvage dont on t'a parlé.

Les autres éclatèrent de rire.

Bien décidée, cette fois, à ne pas se laisser faire, Storine rétorqua du tac au tac :

— Rémius, voici le fils de l'homme qui, voulant tuer un lion, s'est retrouvé sans cervelle !

Elle regretta aussitôt ses paroles. Phrémis était un jaloux et un frustré, certes, n'empêche que Storine, cette fois, était allée trop loin. Elle voulut s'excuser, mais la cloche sonna.

En regagnant la classe, la jeune fille songeait combien il était libérateur de pouvoir dire les choses exactes au moment précis où on voulait les dire ; et combien, aussi, c'était souvent douloureux ensuite, car on se pardonnait mal d'avoir été blessant et impoli.

— Storine, dit madame Myrtine, c'est ton tour…

Éphébur l'encouragea d'un sourire. Elle lui avait dévoilé, tout à l'heure, quel était le sujet de son exposé, et le garçon l'avait félicitée.

«En parlant d'eux, tu feras comprendre à tout le monde comme tu as raison de les aimer, Storine!»

Éphébur était-il son seul ami dans cette classe ? Storine jeta un regard vers Rémius, qui était toujours forcé de parler soit à Vinoma, soit à Sharmane.

Elle se plaça devant le grand tableau numérique et s'éclaircit la voix.

Elle détestait se trouver sur l'estrade et sentir tous les yeux la dévisager.

Puis elle pensa à Griffon, qui était fort et courageux. Il avait combattu, blessé grièvement et chassé Fnorr du clan. Elle aussi en faisait partie ! Elle devait se montrer sinon aussi forte, du moins aussi brave que le nouveau lion-roi.

— Je vais vous parler aujourd'hui de ma passion pour les grands lions blancs, commença-t-elle d'une voix mal assurée.

Un éclat de rire salua ses paroles.

Madame Myrtine, qui se doutait que Storine parlerait des fauves, réclama le silence.

— Comme vous le savez sans doute, mon grand-père travaille avec eux depuis de longues années.

— On sait aussi que tu vis avec eux ! railla Phrémis qui se mit même à pousser quelques grognements ridicules.

Sous son ton caustique perçait une méchanceté qui n'était pas là auparavant.

« Je n'aurais pas dû lui dire que son père n'avait plus de cervelle », se reprocha encore Storine.

— Phrémis, tais-toi et écoute. Ton tour viendra, le rabroua madame Myrtine.

Le regard confiant que lui lança Rémius aida Storine à poursuivre.

— Les lions blancs ne sont pas aussi féroces qu'on le dit. La preuve : je suis toujours vivante…

Cette entrée en matière, qui se voulait humoristique, créa l'effet attendu : tous les élèves, désormais, étaient suspendus à ses lèvres.

Storine raconta la naissance de Griffon et de Croa.

Lorsqu'elle décrivit comment elle avait pris les nouveau-nés dans ses bras, et spécialement Croa qui était fiévreuse, elle sentit ses camarades réellement émerveillés.

Madame Myrtine avait tamisé les lumières. La classe ressemblait maintenant à la caverne des lions. Chacun pouvait presque sentir le mouvement des fauves autour d'eux. Rémius contemplait Storine avec admiration, et Vinoma grimaçait.

— Je connaissais Nooret, le grand mâle dominant du clan, ainsi que les mères de Griffon et de Croa, et j'allais retrouver les bébés lions aussi souvent que possible. Ils connaissaient bien mon odeur, car c'était une des premières qu'ils avaient flairées en venant au monde…

Storine était heureuse. Elle avait rédigé cet exposé pour elle et pour les lions, mais surtout pour ses camarades. Pour qu'ils partagent sa passion, qu'ils cessent de croire que les lions n'étaient que des bêtes sauvages et qu'ils arrêtent, aussi, de la considérer comme une sorte de sorcière.

Des élèves commencèrent à lui poser des questions :

— D'après toi, n'importe qui aurait-il pu être à ta place, dans la caverne ?

Storine l'ignorait. Les lions sentaient avant tout l'âme des gens. Et l'âme d'un jeune enfant est rarement mauvaise ou corrompue.

Puisqu'elle voulait faire plaisir à ses camarades et que cette théorie se tenait, elle répondit que oui. Chacun d'entre eux, à sa place, aurait peut-être pu être adopté par le clan.

Un autre élève enchaîna :

— Est-ce que tu voudrais nous les présenter ?

Plusieurs voix s'élevèrent des quatre coins de la classe. Ils voulaient tous voir des lions de près.

Madame Myrtine était très embêtée. Le temps accordé à Storine était dépassé depuis longtemps. Il fallait donner sa chance à tout le monde.

— Les enfants, cela suffit, coupa-t-elle. Voyons maintenant la passion de…

Parmi les élèves qui passèrent ensuite se trouvaient Sharmane et Phrémis. Mais personne ne les écouta vraiment. Tous étaient persuadés que Storine allait leur présenter un de ses lions, et ils en discutaient à voix basse tandis que Phrémis essayait, sur un ton rageur, de leur faire partager sa passion pour les modèles réduits de vaisseaux spatiaux – ce qui fit rigoler tout le monde.

Enfin, la cloche sonna.

Phrémis et Vinoma ne quittaient pas Storine des yeux. Cette petite chipie leur avait volé toute l'attention de la classe – une fois de plus ! Lorsque Rémius passa devant eux, Phrémis l'aborda.

Il avait une idée…

Sur l'esplanade de l'école arrivaient les véhicules à sustentation magnétique de la cité, et ceux envoyés par les parents. Le beau feeleur étincelant conduit par un chauffeur privé qui attendait Rémius se trouvait à quelques pas. Mais Vinoma se débrouilla pour accaparer le fils du consul qui les suivit, à contrecœur, dans le bois entourant l'école.

— On m'attend, protesta mollement Rémius. Qu'est-ce que vous voulez me montrer?

Phrémis se campa devant lui.

— J'ai entendu dire, fit-il, que ton père était sévère.

Les deux garçons n'avaient pas encore douze ans, mais ils paraissaient plus âgés. Rémius roula des yeux, l'air de dire qu'en effet il l'était, et qu'avec lui la discipline et la ponctualité étaient des vertus sacrées.

— C'est pourquoi je…

— Chut! le coupa Vinoma. Cachez-vous…

Ils s'embusquèrent derrière les fourrés. Deux autres copains de la classe les rejoignirent en compagnie de Sharmane.

— Et l'orgueil? Et le mensonge? questionna Vinoma en souriant à Rémius.

— Je suis sûr que ton père désapprouve aussi, n'est-ce pas? insista Phrémis.

— Oui, je…, enfin, il trouve que ce ne sont pas de bons comportements, bredouilla le garçon blond.

— Alors, regarde…

Storine marchait dans le sous-bois. Elle avait voulu d'emblée prendre le chemin de gauche, ce qui l'aurait conduite au bout de quelques kilomètres jusqu'à la porte du parc. Au lieu de cela, poursuivie par plusieurs camarades de classe qui s'attendaient à ce qu'elle les mène tout droit dans une tanière de lions – elle ne leur avait pourtant rien promis ! –, elle dut longer les hautes murailles du parc sur la droite.

— Mais enfin, laissez-moi ! leur cria-t-elle en s'arrêtant, essoufflée et toute décoiffée.

Huit élèves étaient sur ses talons, aussi fatigués qu'elle de courir à cause de la chaleur écrasante.

— Les lions, Storine, tu as dit que…, lui rappela l'un d'eux.

— Mais enfin, je n'ai rien dit du tout. Et puis…

— Elle vous a menti, mes amis ! clama Phrémis en s'extirpant des taillis.

— Ce n'est pas vrai, se défendit Storine, à demi aveuglée par les rayons de Myrta.

— Elle a menti, répéta le garçon. Par orgueil, par ambition. Car qui nous prouve que ce que tu as dit en classe est la vérité ? Connais-tu vraiment les lions ou bien mens-tu pour te rendre intéressante ?

— Je les connais, c'est vrai.

— Alors, pourquoi ne pas nous les montrer ?

Un autre garçon lâcha qu'elle voulait les garder pour elle seule. Une fille prétendit que si elle avait des lions, ça se saurait.

Storine avait le cerveau en compote. Trop de lumière, trop de monde autour d'elle. Et puis Rémius qui restait là sans rien dire, alors que lui savait !

Elle voulut l'interpeller, mais se ravisa. Il était nouveau à l'école. Avait-elle le droit de l'impliquer et d'en faire, comme elle, un proscrit dès son arrivée ?

— Les lions blancs sont mauvais, cracha Phrémis. Sinon, ça se saurait aussi !

Storine imagina son camarade de classe rentrant chez lui, le soir. Son père, toujours paralysé à la suite d'une décharge de glortex, demeurait incapable de parler. Il grognait, disait-on.

En soutenant le regard sombre de Phrémis, Storine comprit qu'il aimait son père et que le voir aussi malade à cause d'un lion le rendait triste et amer.

— Écoute, concéda-t-elle, je sais que je n'aurais pas dû te dire… ce que je t'ai dit. Je m'excu…

155

Elle s'interrompit, car un des garçons venait de lui lancer une pierre qui l'atteignit à l'épaule. Ce geste brutal surprit et fascina les autres.

— Sorcière ! s'écria Sharmane.

— Sorcière ! reprit Vinoma.

— Non ! fit Storine. Ce n'est pas vrai. Je…

D'autres garçons ramassaient des cailloux et l'accusaient d'être une menteuse.

Storine jeta un regard suppliant à Rémius.

Le nouveau retint Phrémis qui s'apprêtait à lancer une pierre. Mais le garçon hargneux le repoussa et brailla à l'endroit de Storine :

— Tu as menti, parce que les lions sont en vérité très cruels.

Soudain, un terrible rugissement fit trembler les frondaisons aux alentours. Les taillis s'écartèrent.

Apparut un grand lion blanc aux crocs étincelants.

— Griffon ! s'écria Storine.

Elle courut se réfugier contre son flanc.

Le fauve rugit encore et fit mine d'avancer vers les enfants, qui reculèrent. Sentant que le lion était en colère et qu'il pourrait se jeter sur ses tourmenteurs, Storine s'accrocha à une de ses pattes.

Le grand mâle comprit le message et s'arrêta net.

Mais il était trop tard.

La force de son glortex était déjà à l'œuvre et plusieurs jeunes, aussi blancs que des linges, suffoquaient et vomissaient.

— Arrête! Arrête, Griffon! ordonna Storine en lui tirant fermement la crinière à deux mains.

Rémius lui-même était sur le point de tourner de l'œil.

Alors, Storine se hissa sur l'encolure du fauve et le força à faire volte-face. La route n'était pas loin. Déjà, des citadins alarmés par les rugissements descendaient de leur feeleur.

— À couvert! À couvert! cria-t-elle à Griffon.

Elle donna un puissant coup de talons sur ses flancs, et le lion bondit dans les taillis.

Des râles s'élevaient dans la clairière où étaient les enfants. Phrémis se tenait la tête. Du sang coulait de ses yeux et de sa bouche.

Storine n'en revenait toujours pas. Qu'est-ce qui leur avait pris de la poursuivre et de l'attaquer?

Griffon sauta par-dessus le précipice au fond duquel la jeune fille s'était réveillée, l'autre nuit, après avoir dérivé dans la caverne. Un mystérieux éclair de lumière l'éblouit durant une seconde.

Lorsque le lion s'engouffra au couvert des épais feuillages qui ombrageaient la corniche, Storine comprit qu'il avait trouvé, comme elle, le passage secret qui permettait de gagner le parc.

13

La convocation

Alors qu'elle s'amusait avec des lionceaux dans un étang voisin des entablements rocheux, la jeune fille se rappela soudain que cet après-midi-là était important. Somnolente après son bain de soleil, amusée par les singeries des bébés lions qui jouaient à s'attraper l'un l'autre sous le regard de leur mère, elle avait tout oublié.

— Aïe ! s'exclama-t-elle.

Elle fixa l'étoile Myrta et, à sa position dans le ciel, en conclut qu'elle était vraiment en retard. Elle ramassa son microcom et sa robe de coton dans les herbes, découvrit que son bracelet communicateur était brisé : sans doute avait-il été écrasé sous la patte d'un lion !

— Croa !

La lionne blanche dressa l'échine.

— Il faut que je rentre au plus vite, sinon grand-mère va m'étriper !

Bien que grosse et lourde, Croa obéit. Storine sauta sur son encolure. Elles disparurent dans les hautes herbes rouges.

«Vite ! Vite !» songeait Storine sans oser trop forcer son amie qui était sur le point de mettre bas.

Elles déboulèrent trop tard dans le jardin de la petite maison ronde des Gandrak, comme l'avait craint Storine.

L'aéroscooteur qui avait amené les invités de ses grands-parents était là. Et les invités eux-mêmes, déjà installés autour de la table sous la véranda décorée de lierre grimpant.

Storine découvrit un couple âgé dont l'homme présentait quelques ressemblances avec son grand-père Falob, un homme et une femme plus jeunes ainsi que trois enfants. Deux filles : une de sept ans et une autre de onze, soit le même âge que Storine. Et un garçon de quinze ans qui avait l'air de s'ennuyer à mourir.

— Sto ! s'emporta grand-mère Phédrine en voyant l'enfant glisser du flanc de la lionne.

La dame fit un effort pour ne pas se mettre en colère. Son mari lui tapota gentiment le bras.

— Je suis en retard, je m'excuse, bafouilla Storine en prenant conscience de sa robe tachée de terre, souillée de bave de lion et déchirée en maints endroits.

Ses cheveux orange étaient semés d'épines, et de ses joues coulaient des filets de sang causés par les épines des sentiers et les griffes indociles de quelques lionceaux trop affectueux.

Offusquée, Phédrine arborait une pâleur de cire. Elle battait des cils à toute vitesse et ne cessait de s'excuser auprès de leurs invités. Tout au contraire, Falob rayonnait de fierté.

— Sto, dit-il, je te présente mon frère, l'éminent député Éphilion Gandrak, et sa femme Nicolane. Voici leur fils ainsi que sa femme, et leurs trois enfants : Sylfrine, Phèbe et Tricolin, tes cousins.

Storine restait bouche bée. Les deux filles et leurs parents ne quittaient pas des yeux la lionne qui attendait, avant de repartir, que sa petite maîtresse lui en donne la permission.

La lionne grogna. Ce signal tira Storine de sa gêne. Elle se retourna et dit :

— Tu peux y aller, Croa. Merci !

Mais le fauve restait immobile. Alors, l'adolescente lui passa les bras autour du cou et l'embrassa. La jeune Phèbe grimaça d'écœurement quand Croa donna un coup de langue sur le visage de Storine, mais la sœur aînée et l'adolescent semblaient hypnotisés.

Grand-mère Phédrine rappela tout ce beau monde à l'ordre. Puis elle servit l'entrée : un composé de salades sauvages qui poussaient non loin du jardin, accompagné de champignons rôtis – également du coin –, le tout nappé d'une de ces sauces délicieuses dont elle avait le secret.

La conversation reprit son cours. Entre deux services, Phédrine envoya sa petite-fille se laver et se changer, car l'odeur de fauve devait incommoder leurs invités venus de la ville capitale de Briana.

Storine ne cessait d'observer sa « famille ».

Les adultes, surtout le député et son fils, paraissaient distants et mal à l'aise. Pour combler ce fossé, Falob amenait intelligemment la conversation sur des sujets qui intéressaient d'ordinaire son frère : la politique, mais aussi les cancans de la société briannaise – tout ce qui, lui, l'insupportait !

Les femmes se parlaient avec plus de chaleur de la dernière mode vestimentaire en vigueur dans les grands centres.

Les enfants, eux, se dévisageaient en silence. Les multiples bosses et griffures que leur cousine avait au visage, sur les bras et sur les jambes semblaient fasciner la petite Phèbe.

Storine s'attendait à ce qu'on lui demande de parler des lions puisque ceux-ci étaient non seulement la principale attraction touristique de la planète, mais aussi des animaux sacrés.

— Le lion blanc figure également sur les armoiries de la famille impériale de Hauzarex, énonça Éphilion Gandrak avec un brin de condescendance qui fit tiquer son frère.

Storine ignorait tout des relations entre ses grands-parents et leur famille de Briana. Mais elle sentait qu'il se cachait, sous l'apparente décontraction et les rires forcés, beaucoup de secrets, de non-dits et d'hypocrisie. Décidément, même s'ils mettaient des lions blancs sur leurs drapeaux, les hommes étaient une race vraiment…

Elle chercha le mot juste, mais fut interrompue par Tricolin qui parlait avec grandiloquence de ses futures études à l'institut impérial de Hauzarex, et elle perdit le fil de sa réflexion.

Éphilion Gandrak et son fils – le père de Tricolin – étaient tout sourire.

— Je ne t'ai pas dit, clama Éphilion, que Tricolin a passé son examen d'entrée haut la main. L'année prochaine, il partira pour Ésotéria !

Ésotéria. La très lointaine planète capitale de l'empire…

— Il fréquentera le même établissement que Solarion, le prince impérial.

Storine grimaça. On ne parlait que de sujets qui lui étaient inconnus ou lointains. Solarion… Les invités se croyaient peut-être supérieurs, avec leurs anecdotes sur la politique ou sur la vie et les frasques des vedettes ! Solarion, Hauzarex… Ni le député, ni son fils, ni sa femme n'avaient la politesse d'interroger Phédrine sur sa vie, et Falob sur son travail auprès des lions et des autres animaux du parc.

Solarion…

Ce prénom faisait résonner quelque chose en Storine. Mais quoi ? Oh ! Elle savait que Hauzarex était le nom de la famille impériale et que Solarion était le petit-fils de l'impératrice Chrisabelle – autrement dit, le futur empereur. Mais il y avait dans ces mots des consonances vaguement familières qui la dérangeaient.

La petite Phèbe la tira par sa robe alors même que grand-mère Phédrine apportait le dessert : une tarte aux baies du parc nappée de crème parfumée aux fleurs de sumark.

— Alors, c'est vrai que les lions sont tes amis ?

C'est ensuite que les choses se gâtèrent.

Éphilion Gandrak sortit son écran pliable digital, ouvrit un document et le mit sous le nez de son frère.

— Ce sont les dernières nouvelles de Briana.

La photo occupait toute la page et montrait un grand lion blanc. Sur son dos chevauchait une jeune fille. Dessous, l'article titrait : un lion en liberté dans les rues de Fendora !

Grand-mère Phédrine s'étrangla quand elle reconnut Storine.

Éphilion prit un ton désolé :

— Je ne voulais pas t'en parler, bien sûr, mais ce scandale ne sera pas bon du tout pour les affaires du parc. Prépare-toi à de fâcheuses répercussions.

Falob jeta un regard sombre à son frère.

— Bien sûr…, répéta-t-il.

Grand-mère tira Storine par les oreilles et la poussa dans la maison.

— Mais qu'est-ce que tu as dans la tête ? Tu veux notre perte ou quoi ?

La jeune fille ne comprenait rien.

— Comment ce lion a-t-il pu franchir les murs et les barrières de sécurité ?

— On m'attaquait, bredouilla Storine. Griffon est venu et…

— … et un photographe de Briana se trouvait sur place !

Par la baie vitrée, Storine apercevait son grand-père en grande discussion avec son frère. Ses cousins la regardaient en riant.

Storine sentait, malgré la chaleur, un froid de glace pénétrer ses os.

Au même moment, le député mettait son frère en garde :

— Attends-toi au pire. Le conseil d'administration du parc ne supportera pas cette très mauvaise publicité, et les autorités de Fendora ne tarderont pas à réagir. Pour ma part, je ne pourrai pas t'aider. Les membres de mon parti sont très préoccupés par les problèmes de sécurité liés à l'administration des parcs de la planète. Ah ! Je te l'avais bien dit que cette petite ne vous causerait que des embêtements…

Il pleuvait ce jour-là. Le parc était triste, la forêt et le ciel aussi.

Comme le lui avait dit le député, les autorités avaient réagi. Et Falob avait été convoqué dans les bureaux du parc à Fendora.

La pluie crépitait sur le toit et sur les carreaux. Restées seules à la maison, Storine et grand-mère Phédrine faisaient du rangement.

La jeune fille farfouillait dans sa chambre. Au bout d'un moment, elle descendit et observa la dame qui astiquait ses poêlons. Elle ne dit rien, mais elle savait que sa grand-mère, lorsqu'elle était tourmentée, faisait ce que Falob appelait « du nettoyage à outrance ».

Le salon sentait un mélange d'herbes, de cire, de produits chimiques et de nostalgie. Storine ressentait plus encore ces derniers effluves, si ténus et pourtant si présents dans l'air autour d'elle en ce moment.

Elle tendit à sa grand-mère l'objet qui trônait d'ordinaire sur sa table de chevet.

Phédrine fit mine de ne pas reconnaître le jeune couple représenté sur la photo tridimensionnelle encadrée. Puis elle éclata en sanglots, s'assit et soupira :

— Tes parents, ma chérie. S'ils avaient vécu, tout ça…

Phédrine désigna le salon, la maison, mais aussi le parc et les bêtes.

— … tout ça n'aurait jamais dû faire parti de ton quotidien. Tes parents étaient ingénieurs sur une station minière spatiale située très, très loin d'ici. Quand ils sont morts dans ce bête accident de navette, je…

Storine connaissait l'histoire par cœur. Phédrine et grand-père étaient allés la chercher.

Mais le problème n'était pas là.

Si problème il y avait.

C'était davantage une sensation étrange autant que gênante. Storine avait beau contempler les visages de ses parents, elle n'arrivait pas à ressentir pour eux le moindre élan, la moindre émotion. Et elle s'en voulait.

« La vérité, se dit-elle, c'est que j'aime Croa, Griffon et les autres fauves bien plus que… mes parents ! »

Ce mot, même, lui restait sans raison en travers de la gorge.

La pluie redoublait de force. Pourtant, la saison des orages n'avait pas encore officiellement commencé.

« J'espère que Croa va bien. Griffon a promis de venir me chercher quand le moment sera venu… »

Phédrine devina que sa petite-fille avait une question à poser, car elle se retourna :

— Oui, ma chérie ?

— Non, je…

Storine se rappela alors ses contrariétés. Le scandale de la photo. Le comité des parents d'élèves de l'école qui avait déposé une plainte officielle contre elle. La peur des habitants de Fendora.

— Ils m'ont accusée d'avoir mis leurs enfants en danger, laissa-t-elle tomber.

Grand-mère Phédrine la prit dans ses bras.

— Alors que ces jeunes t'avaient lancé des pierres, oui, je sais, Sto, la plaignit-elle. Mais les hommes sont ainsi faits.

— Dis, grand-mère, tu crois que grand-père va perdre son travail ? Tu crois que nous allons être obligés de quitter notre maison et le parc ?

Phédrine ne savait quoi répondre. Falob avait été convoqué. En ce moment même, il discutait avec les hauts responsables du parc et le nouveau consul de Fendora.

À cette heure, leur avenir était déjà peut-être scellé.

14

Scandale au marché

En arrivant à Fendora, on tombait inévitablement sur ses anciens remparts. Construits par les premiers colons installés deux cents ans après la mise en place de la ceinture atmosphérique, ils témoignaient de l'époque où les hommes croyaient que des sous-races humanoïdes s'étaient développées en même temps que la vie sur la planète.

Bien entendu, ces murailles n'avaient jamais servi à défendre qui que ce soit. Mais elles donnaient aujourd'hui à la cité un cachet historique qui servait les intérêts des commerçants et de la compagnie qui gérait le parc impérial.

L'heure était encore fraîche. Et comme l'assurait grand-mère Phédrine, c'était le meilleur moment pour aller faire les courses.

Installée à Fendora depuis le début de son mariage avec Falob Gandrak, Phédrine connaissait tout le monde ou presque. Ce qu'elle aimait au milieu des étals était la couleur des fruits et des légumes, les grands bacs d'épices et de semoules, la symphonie des arômes, mais aussi l'animation.

De nombreux touristes déambulaient entre les citadins. Ils étaient reconnaissables à leur air ingénu, à leur cou tendu pour tout voir, tout entendre, tout comprendre. Leurs tenues légères flottaient au vent comme si les rayons de Myrta ne pouvaient brûler leur peau sensible, ce qui les rendait aussi reconnaissables que le nez au milieu du visage.

Storine aimait accompagner sa grand-mère. Parfois, une tournure de phrase ou bien un accent retenaient son attention. Elle regardait autour d'elle, cherchait qui avait bien pu dire cela ou rire comme ça au milieu de toute cette foule. La plupart du temps, il s'agissait d'Ésotériens venus de la lointaine planète capitale pour voir les lions.

— Aujourd'hui, dit grand-mère Phédrine, nous avons besoin de tomaros, de gualouka et de pâté de foie de gronovore pour mes tourtes.

Storine identifia les effluves sucrés citronnés du gualouka, un fruit tiré de la gualouk, un arbuste à épines qui avait, comme bien d'autres espèces végétales, poussé un peu n'importe comment grâce à la protection atmosphérique artificielle.

Storine et Phédrine étaient ralenties presque à chaque étal. Les vendeurs et les marchandes les reconnaissaient. Grand-mère échangeait quelques paroles anodines avec chacun, acceptait de goûter à un fruit nouveau, à un fromage bien fait ou à une pâtisserie cuite à point.

Parfois, Storine se retournait brusquement et surprenait une œillade ou une expression qui n'avait, elle, rien d'amical.

Depuis quelque temps, en effet, ses rêves avaient changé. La voix douce qui murmurait dans sa tête l'avertissait que des événements graves allaient bientôt survenir. Quand l'adolescente demandait s'ils seraient heureux ou malheureux, la voix répondait que tout événement, dans la vie, était utile et servait l'âme de ceux qui les vivaient.

Ce concept était un peu trop compliqué pour une jeune fille. Mais il donnait à réfléchir.

— Grand-mère, fit soudain Storine, je…

Des officiels – les fonctionnaires de la cité – étaient eux aussi facilement repérables à leur mine contrite et à leur costume sombre.

Storine avait toujours entendu dire qu'ils étaient «coincés» parce qu'ils craignaient, plus encore que les citadins, que le ciel ne leur tombe sur la tête. En résumé, que la ceinture se désactive brusquement même si la chose ne s'était encore jamais produite.

Storine voulut prévenir sa grand-mère que ces fonctionnaires ne les quittaient pas des yeux depuis leur arrivée et que, même, ils les suivaient. Mais Phédrine discutait du prix d'une pièce de viande de gronovore avec un marchand.

Au détour d'un étal proposant un assortiment de graines de kobo que Phédrine écrasait pour en tirer la boisson préférée de son mari, elles tombèrent sur une femme accompagnée d'un garçon. Le jeune Éphébur reconnut Storine et la salua. Mais sa mère le tira vivement par le bras.

Grasse, le teint en feu et déjà essoufflée malgré l'heure matinale, elle pointa le doigt vers Storine et prit Phédrine à partie :

— Vous ! C'est vous, la responsable ! C'est une vraie honte. Vous ne pensez donc pas à nos enfants !

Éberluée, Phédrine cligna des paupières. Ses épaules tressaillirent. Tous les regards étaient rivés sur eux.

Une autre femme accompagnée d'un homme, tous deux parents d'enfants allant à la même école que Storine, se détachèrent de la foule et en rajoutèrent.

À leur avis, permettre à des fauves de franchir les murailles séparant la cité du parc était une folie. Et s'il se produisait des accidents, ils devraient en répondre devant un tribunal criminel.

D'ailleurs, lança l'homme, il n'était pas question d'attendre qu'un tel drame se produise. Il fallait agir immédiatement.

Phédrine n'eut pas le temps d'ouvrir la bouche qu'elle et Storine furent entourées, bousculées, insultées.

Heureusement, quelques touristes vinrent à leur secours. Deux d'entre eux proposèrent de les prendre à bord de leur aéroscooteur de location.

— Nous allons vous reconduire chez vous !

Portées par une marée humaine, elles quittèrent le marché en toute hâte. Humiliée, décoiffée, les vêtements froissés, Phédrine n'en revenait pas. Jamais personne ne l'avait encore jamais traitée de la sorte.

— C'est la peur, dit un touriste.

Puis ils dévoilèrent leur jeu.

— Tu es Storine, n'est-ce pas? ajouta le même homme en souriant à l'adolescente. C'est toi, la fille qui chevauchait le grand lion blanc!

Storine comprit enfin pourquoi ces hommes les avaient aidées.

Phédrine leur demanda de les faire descendre. Elles étaient loin du marché, à présent, et l'entrée du parc était proche. Elles feraient le reste à pied. Merci pour tout.

— Attendez! Ne vous fâchez pas. Nous voulons seulement…

Phédrine lança un regard sévère à sa petite-fille. Elle savait ce que voulaient ces touristes: un passe-droit pour rencontrer des lions!

— Nous descendons ici, merci, répéta Phédrine.

Elles sortirent de l'aéroscooteur et les deux hommes repartirent, penauds.

Storine remarqua qu'un feeleur de la police de Fendora les suivait. Était-ce pour les protéger en cas de danger ou bien, plus probablement, pour les tenir à l'œil?

En plus d'avoir été forcées d'abandonner leur propre petit aéroscooteur, elles rentrèrent à la maison bredouilles, sans les provisions désirées.

— Sto, dit encore Phédrine entre ses dents, tu n'aurais jamais dû te montrer en public sur le dos de Griffon. Ton grand-père ne t'en fera jamais le reproche, mais tu es assez grande pour savoir que c'est à cause de cela qu'il a été forcé de démissionner de son poste de directeur !

Elles n'échangèrent plus une seule parole de toute la journée.

Le temps avait cette douceur et cette âcreté qui, en cette saison, précédait souvent les gros orages. La touffeur et le ciel finement strié de nuages écarlates pouvaient perdurer quelques jours encore, mais les spécialistes de la ceinture atmosphérique artificielle encourageaient déjà les gens à se préparer pour la pluie à venir.

Dans la cour de récréation, Storine n'arrivait pas à se trouver un coin tranquille. L'été allait arriver et, avec lui, l'exode des citadins et l'invasion massive des touristes.

Grand-mère avait eu raison au sujet de son mari. Falob avait réellement dû abandonner ses fonctions de directeur. Au cours d'un repas, il avait assuré Storine qu'en fait, il était à bout. Que cela faisait plus de vingt ans qu'il portait littéralement le parc sur ses épaules. Qu'il était temps qu'il lâche prise et qu'il songe à sa retraite.

— Et nous? avait-elle demandé d'une petite voix étranglée.

Falob devinait les angoisses de sa petite-fille.

— Ne t'en fais pas. Nous n'aurons pas à déménager en ville. Nous gardons notre maison...

Storine était soulagée. Elle avait tant craint d'être obligée d'aller vivre loin de ses amis les lions!

Son grand-père, cependant, avait laissé sa voix en suspens.

— La compagnie va nommer un nouveau directeur. On m'a demandé de le former. Mais...

Le cœur de Storine s'arrêta un instant de battre. Le regard de Falob était intense. Sans trop en avoir l'air, sa grand-mère tendait l'oreille.

— Quoi, grand-père?

— Il va falloir que tu me dises comment Griffon a pu déjouer les systèmes de sécurité et sortir du parc.

Depuis cette discussion, plusieurs jours avaient passé. Ce dilemme empêchait Storine de dormir et de manger.

Dans la foule des élèves qui chahutaient, elle aperçut soudain Phrémis et le drôle de pansement qu'il portait sur la tête depuis son face à face avec le glortex du grand lion. Vinoma et leur groupe de persécuteurs l'entouraient.

Bien sûr, Storine n'avait rien dit au sujet de l'autre jour : la poursuite, les insultes, les pierres. Le directeur et les enseignants, eux, n'avaient vu que le fauve et le danger auquel avaient été exposés les enfants.

Rémius se faufila et vint la rejoindre. Plus Storine le regardait, plus elle pensait qu'il ressemblait vraiment au garçon blond de son rêve mystique.

De loin, elle vit la jalousie crisper les traits de Sharmane.

— Tu vas bien ? lui demanda Rémius.

Storine mordilla le petit grain de beauté piqué au coin de sa lèvre inférieure. Elle faisait toujours ça quand elle était nerveuse. Et elle l'était, maintenant plus que jamais ! À cause de Phrémis et des autres qui ne l'avaient pas lâchée d'une semelle depuis le matin. À cause de l'adolescent blond qui lui souriait. Mais aussi parce qu'elle recevait et classait toutes sortes d'informations dans sa tête...

Et surtout, cette impression très nette que l'événement auquel elle s'attendait depuis une dizaine de jours était sur le point de se produire.

— Storine, commença Rémius, je...

Voulait-il lui parler de ce qu'ils avaient vécu tous les deux la nuit où Nooret était mort ? Ou alors de son père, le consul, qui avait assisté à la convocation de son grand-père dans les bureaux de la compagnie ?

— Chut ! fit-elle.

La jeune fille observait les fourrés situés de l'autre côté de l'enceinte de la cour de récréation. Avaient-ils bougé ou bien n'était-ce que son imagination ?

Autour d'eux, les élèves parlaient fort, riaient et couraient dans tous les sens.

— Il est là, marmonna-t-elle.

— Quoi ? Qui est là ?

Elle prit le grillage d'acier entre ses mains et le secoua.

— Il faut que je sorte.

— La récré est presque finie.

Les yeux de Storine s'assombrirent. Elle se rappela qu'il était possible de sortir de l'école en passant par les toits.

— Il faut que je sorte, répéta-t-elle.

— Est-ce que ça a un rapport avec les lions ? s'enquit Rémius, les yeux brillants.

Storine tourna les talons sans répondre et se dirigea vers les classes des petits par lesquelles il était possible d'atteindre la corniche menant aux toits.

La cloche sonna.

— Attends ! cria Rémius. Je viens avec toi.

Au même moment, sur une planète éloignée, une information entrait dans un module de recherche privé. L'agente ouvrit le document, visualisa la photo de Storine chevauchant Griffon, et sourit dans la pénombre du cockpit de sa navette.

Elle transféra l'article paru à ce sujet à la personne qui l'avait engagée. L'enquêtrice ne patienta que quelques minutes avant de recevoir l'autorisation de se rendre sur Ectaïr pour approfondir cette piste…

15

Nouvelle vie

Griffon attendait Storine dans les fourrés. Il grogna lorsqu'il vit qu'elle n'était pas seule. Mais la jeune fille était trop impatiente pour prendre garde à son mécontentement.

— Conduis-nous.

Ils franchirent le petit bois, descendirent les pentes du ravin et longèrent la gorge jusqu'à un goulot touffu semé de roches et d'épineux. La chaleur pesante et la sensation de lourdeur étaient telles que chaque geste constituait un effort.

« Heureusement, songea Storine, nous serons plus au frais dans la caverne. »

Un nouveau grondement de Griffon la ramena à la réalité. Elle considéra Rémius qui reprenait difficilement son souffle, et mordilla son petit grain de beauté. Comment son ami allait-il réagir à sa demande ?

— Excuse-moi, dit-elle, mais il faut que je te…

Elle déchira un pan de sa robe de toile, en fit un bandeau.

— Mets ça sur tes yeux ! Ce passage est mon secret.

Rémius n'hésita qu'un bref instant, car Griffon plissait les siens, rouges, fins et luminescents.

Storine s'assura que le garçon ne voyait plus rien. Puis elle l'aida à se hisser sur l'encolure du grand lion. Elle sauta elle-même en croupe et donna au fauve un coup de talon.

— Va !

Griffon bondit dans les rochers.

Combien de temps dura la traversée de l'étroit passage dessiné en méandres ? Balloté, près de vomir et tout étourdi, Rémius n'en savait rien et cela faisait parfaitement l'affaire de Storine.

Avait-elle été imprudente ? Aurait-elle dû interdire au fils du nouveau consul de la suivre ?

Ils ressortirent de la caverne et furent accueillis dans le parc par la lumière sombre de Myrta se couchant. Si la cloche de la fin des classes avait sonné, ils ne l'avaient pas entendue.

Un moment, alors qu'il sentait le vent et les branches lui fouetter le visage, Rémius s'inquiéta de savoir comment réagirait son père…

« Le chauffeur va lui dire que je n'étais pas en classe. Peut-être un élève nous a-t-il vus grimper sur le toit de l'école ? »

Il demanda s'il pouvait ôter son bandage, et Storine le lui retira.

Griffon courait. Chaque muscle de son corps était tendu comme un câble d'acier. Il progressait en direction d'un amas de roches grisâtres qui dominait la savane.

Soudain, il s'arrêta net.

— Tu as senti un danger ?

Storine flaira dans le vent.

Qui oserait s'aventurer si près de la tanière du clan ?

Elle songea à son grand-père. Soupçonnait-il qu'un événement d'importance allait se produire ce soir ?

Storine dévisagea son ami. Grand, blond, ses mèches dans les yeux et les joues rosies par leur course folle, Rémius ressemblait trait pour trait à l'adolescent de son rêve mystique.

— Ça va ? s'enquit le garçon, encore un brin essoufflé.

Elle sourit. Ils avaient tous deux chevauché sur le dos de Griffon. Pour qu'il ne tombe pas, elle avait serré ses genoux contre le flanc du fauve et tenu la taille du garçon avec ses bras.

« Comme dans mon rêve... »

Un grondement de douleur déchira le soir.

— Croa !

Storine s'élança.

Rémius voulut la suivre : Griffon s'interposa.

— Attends ! l'appela le garçon.

Mais la jeune fille était déjà loin.

D'autres lionnes étaient à l'affût. Certaines se préparaient à partir à la chasse. Les plus vieilles se tenaient proches de Croa. D'autres, encore, montaient la garde sur les entablements rocheux.

Rémius était dévoré de curiosité. Storine avait-elle raison de croire que la grande lionne blanche allait mettre bas ? Dire qu'il n'avait sur lui aucune caméra numérique pour fixer cet instant dans l'éternité ! Nul spécialiste animalier n'avait pu, en effet, photographier ou filmer la naissance d'un lion blanc. Il aurait pu être le premier...

Accroupi dans les herbes, il en était réduit à écouter chaque bruit, terrorisé par la présence toute proche des fauves et énervé comme une puce à l'idée de se trouver à un jet de pierre seulement de Croa.

De son côté, Storine soutenait la tête de sa lionne.

— Vas-y! Vas-y! l'encourageait-elle.

Jamais, même si elle faisait partie du clan, elle n'aurait osé s'investir autant dans une mise bas s'il s'était agi d'une autre lionne. Mais avec Croa, c'était différent. Elle l'avait vue naître. Elle savait confusément que même si la lionne était devenue adulte, Storine restait pour elle une sœur, mais également, à sa façon, une mère.

La poussée fut longue et pénible. Nul bruit dans la plaine. Nul chant d'oiseaux ou d'insectes dans les arbres. Les troupeaux de gronovores et de fenelles restaient plus loin que d'habitude. La savane aussi retenait son souffle.

Enfin, Croa fut délivrée. Une femelle, d'abord. Puis trois lionceaux. Les boules de poils, gluantes et à demi aveugles, gémissaient.

La lionne se releva avec difficulté, s'ébroua, les lécha. Griffon surveillait la tanière. Sa silhouette puissante perchée au sommet des entablements se découpait dans le clair-obscur du couchant. Les autres lionnes grondaient de plaisir et semblaient échanger des commentaires – ce qu'elles faisaient, effectivement ! – sans qu'aucune d'entre elles s'approche trop.

Croa s'occupait de ses trois premiers tandis que le dernier, petit et malingre, pris de fièvre, tremblait de froid. Ce détail alla droit au cœur de Storine, qui s'agenouilla et entreprit de le sécher en l'enveloppant dans son maillot de corps. Tandis que la nouvelle maman léchait consciencieusement, puis commençait à nourrir deux de ses bébés, Storine tenait serré contre elle le petit dernier qui haletait sourdement.

La jeune fille éloigna légèrement un des autres bébés et positionna elle-même son protégé contre la mamelle de Croa, car il était urgent que le petit avale son premier lait.

Anxieux, Rémius était condamné à attendre en retrait.

Après quelques autres minutes d'angoisse, il entendit son amie pousser une sorte de cri guttural – un cri de joie.

Enfin, tandis que l'obscurité recouvrait le ciel et la terre, et que les odeurs de la savane se faisaient encore plus présentes, les herbes s'écartèrent.

Rémius vit la jeune fille s'avancer. Il nota qu'elle était torse nu, mais plus encore qu'elle tenait un lionceau dans ses bras.

Elle passa devant lui sans prononcer une parole. Puis, bras tendus, elle présenta à Myrta et à son cortège de nuages violacés le bébé dont les yeux étaient encore fermés.

— Tu seras grand et fort, dit-elle dans un souffle, et je t'appellerai Griffo !

16

Double jeu

Huit jours plus tard, Storine était officiellement convoquée devant les autorités de la cité de Fendora.

— Veuillez, dit le fonctionnaire, décliner votre nom et votre état civil ainsi que la raison de votre présence devant cette assemblée.

Elle n'était pas certaine de comprendre les mots «état civil». Alors, elle chercha des yeux ses grands-parents dans la foule.

Falob lui adressa un petit sourire d'encouragement.

— Storine Gandrak de Fendora, répondit-elle, la bouche pâteuse.

Quelle était la raison exacte de sa présence devant tout ce monde? Des inconnus pour la plupart, mais aussi – ce qui était le plus gênant – des personnes qu'elle connaissait.

Elle entendit les ricanements de Phrémis, reconnaissable, à quelques bancs de distance, au gros pansement noué autour de sa tête. Il en mettait, du temps, à guérir ! Elle vit aussi les mines de fouineuses de Vinoma, de Sharmane et de quelques autres. Un homme au teint très pâle allongé sur une civière à sustentation magnétique se tenait près de Phrémis. Elle devina qu'il s'agissait probablement de son père. D'autres personnes étaient également au rendez-vous, parmi lesquelles madame Myrtine, le directeur de l'école, Rémius, ses parents et quelques gens d'affaires, dont un qu'elle avait déjà vu en compagnie de son grand-père – sans doute un administrateur du parc.

Storine avait du mal à croire qu'on la convoquait pour l'interroger.

La salle entière la fixait en silence. Le magistrat échangea un bref regard avec l'officier des gardes de sécurité de la cité, ainsi qu'avec… le père de Rémius ! Finalement, l'homme qui présidait à cette convocation très officielle et publique fit claquer sa langue d'impatience.

Alors seulement la jeune fille comprit que le magistrat lui avait posé une question à laquelle, perdue dans sa bulle, elle n'avait pas encore répondu.

— Nous sommes ici pour savoir, mademoiselle Gandrak, reprit-il entre ses dents, comment des lions ont pu franchir la muraille de sécurité du parc et se retrouver en liberté sur le territoire de la cité.

Le ton était ferme et sévère.

Depuis une heure environ, l'homme de cour interrogeait des témoins.

Un garde était venu expliquer que plusieurs lions blancs ne pouvaient plus être suivis à la trace, car la puce informatique implantée sous leur peau avait été annihilée par l'organisme de ces bêtes.

— Quand nous pouvons en capturer pour leur faire subir cette légère intervention chirurgicale, avait-il précisé, ce qui est très rare.

Cette révélation avait embarrassé les administrateurs du parc. Le public savait maintenant que non seulement des lions pouvaient se promener dans les rues de leur cité, mais qu'en plus ils pouvaient le faire en toute impunité.

Un malaise était perceptible dans la salle. Tous les regards revinrent sur Storine.

Le magistrat reprit :

— Des équipes de spécialistes ont été déployées le long des murailles à proximité de votre école, mademoiselle, sans trouver aucune brèche. Je vous repose donc la question : où est ce passage qui permet aux lions de franchir le périmètre de sécurité ?

Grand-mère Phédrine clignait nerveusement des yeux. Falob, lui, avait conscience que le moment était grave.

Storine, il l'avait toujours su, était protégée par les dieux. Ces derniers allaient-ils intervenir pour la tirer de ce mauvais pas ?

La jeune fille avait du mal à respirer. Trop de monde, trop de regards, trop de pression. Tous ceux qui la détestaient étaient réunis.

Heureusement, il y avait aussi des gens qui l'aimaient.

Après la naissance de Griffo, elle avait raconté son rêve mystique à Rémius. Ensemble, main dans la main, ils avaient vu Myrta se coucher. Le garçon avait même caressé le bébé lion !

Leurs regards se croisèrent par-delà les têtes, les mines graves et les grimaces.

« On est devenus de vrais amis », se dit-elle.

Cette pensée lui redonna courage.

— Alors, jeune fille, répéta le magistrat. Où est ce fameux passage ?

— Nulle part, répondit-elle. Vous ne le trouverez nulle part.

Un tumulte indescriptible envahit la salle. Les gens étaient offusqués, horrifiés. Des sifflements résonnaient.

Le magistrat était tout rouge. Son pouvoir remis en cause par l'obstination de cette fille, il se leva d'un bond.

— Mademoiselle ! Je vous rappelle que vous vous trouvez dans une salle de tribunal. Nous exigeons de vous respect et obéissance. Sachez que votre statut de mineure ne vous protège pas, en cette circonstance gravissime, d'une accusation au criminel.

Grand-père Falob réagit vivement contre cette grossière tentative d'intimidation.

— Voyons, Votre Honneur, nul drame n'est survenu !

La mère de Phrémis poussa son fils meurtri par le glortex de Griffon.

— Nul drame ! s'offusqua-t-elle.

Elle s'écria aussi que son mari, toujours impotent, était également une victime de la cruauté des lions blancs. Elle prit les citadins présents à partie :

— Nous sommes tous menacés !

195

Falob fut empoigné par deux gardes et forcé de se rasseoir. Le magistrat se pencha sur Storine.

— Je vous le demande une dernière fois, jeune fille. Connaissez-vous l'endroit exact où est située la brèche ?

Le silence retomba sur l'assemblée.

Au bout d'une longue minute, Storine répondit :

— Non.

Le nouveau consul, alors, déclara avec morgue :

— Elle ment.

On poussa Rémius à côté de Storine.

— Dis-leur, mon fils ! l'encouragea le consul.

Le garçon n'osait pas regarder son amie en face. Ses lèvres tremblaient. Puis il déclara, d'abord tout bas et ensuite plus fort, car on le lui ordonnait :

— C'est vrai. Elle sait et elle ment.

Les pupilles de Storine devinrent aussi noires et brûlantes que des pépites de charbons ardents. La salle s'emplit d'une aura malfaisante. Une tension inconnue vibra de plus en plus fort dans la tête de ceux qui se trouvaient près du box des accusés.

Rémius devint pâle, puis blafard. Du sang coula de ses narines et de ses yeux.

Il hurla de terreur. D'autres personnes l'imitèrent. Plusieurs membres de l'assemblée perdirent connaissance.

17

La saison des pluies

Le coup de tonnerre et les grondements qui suivirent furent si assourdissants que le tintement de la cloche de l'école en fut diminué. Les élèves restèrent quelques secondes sans réaction, et madame Myrtine demeura la bouche grande ouverte sur sa dernière phrase : «N'oubliez pas de réviser cette leçon qui pèsera lourd dans votre examen de la semaine prochaine!»

Le test porterait sur le gouvernement d'Ésotéria. Sa structure, sa composition et celle, aussi, de la famille impériale de Hauzarex dont les membres figuraient sur la photo tridimensionnelle accrochée derrière le bureau de l'enseignante.

Le dernier roulement de tonnerre passé, un piétinement gigantesque retentit dans les corridors. Les étudiants et les professeurs avaient hâte de rentrer chez eux, et Storine plus que tout autre.

Elle sortait à son tour de la salle de classe quand Phrémis lui barra le passage. S'il ne portait plus son pansement, sa joue droite était encore paralysée et sa paupière pendait mollement sur son œil, ce qui renforçait encore son aspect brutal et inquiétant.

— Je ne te lâcherai pas…, menaça-t-il d'une voix sourde.

L'après-midi n'était pas encore terminée, mais le ciel portait déjà les stigmates de la nuit. La météo prévoyait de violents orages toute la fin de semaine. Phrémis guettait la réaction de la jeune fille qui avait selon lui révélé sa vraie nature au tribunal.

Il ajouta, encore plus bas:

— Tu es une sauvage. Tout le monde le sait. Ton refus d'obéir au juge va vous forcer, toi et ta famille, à quitter Fendora, et je…

Il n'eut pas le temps d'en dire davantage que Rémius surgit.

— Laisse-la !

Les deux garçons en vinrent aux poings et Storine en profita pour se faufiler entre les élèves attirés par la bousculade.

Toute la journée, elle avait dû faire semblant d'écouter la leçon alors que son cœur battait à tout rompre dans sa poitrine. Pas à cause de Rémius qui depuis son témoignage tentait, en vain, de lui reparler. Pas parce que Phrémis et sa bande l'avaient menacée de se venger. Et encore moins parce que des agents du service de sécurité de Fendora la suivaient chaque soir jusqu'au parc.

Non.

Si elle était angoissée, c'était uniquement à cause de la saison des orages qui venait de commencer.

Son grand-père l'avait bien mise en garde :

— C'est la saison la plus dangereuse, Sto. Rappelle-toi que c'est pendant cette période que les satellites de surveillance en orbite autour d'Ectaïr se révèlent souvent incapables de faire leur travail. Et alors…

« Alors, se disait Storine, les lions aussi sont inquiets, nerveux, et même furieux. »

Elle repéra des agents attachés à ses pas.

« Ils espèrent que je les conduise vers le passage secret… »

Depuis la séance au tribunal, le ton avait monté entre les administrateurs du parc et son grand-père. À tel point, d'ailleurs, que le refus de parler de Storine avait entraîné un véritable chantage.

En courant vers le ravin, l'adolescente savait qu'elle prenait des risques. Celui de se faire poursuivre au criminel si elle refusait toujours de révéler l'endroit exact de la faille dans la muraille de sécurité du parc. Mais pouvait-elle trahir ses amis les fauves en permettant aux agents de la trouver ?

Aujourd'hui, à cause de la saison des orages, Storine n'avait pas le temps de rentrer chez elle en passant par l'entrée du parc.

D'ailleurs, comme le disait grand-mère Phédrine, le parc ne serait plus « chez elle » bien longtemps. Car si elle refusait toujours de dévoiler aux autorités l'emplacement de la brèche, ses grands-parents seraient tout bonnement chassés de leur maison !

Storine vit avec plaisir les deux agents de sécurité bousculer les élèves et leurs parents pour tenter de la filer. Un peu plus loin, elle entendit un grand fracas, suivi par des exclamations.

La pluie, la boue, l'herbe humide… Les deux hommes avaient glissé au sol. Maintenant, ils étaient sales, mouillés, en colère et… inoffensifs !

La jeune fille prit la sente à peine visible qui conduisait au ravin. Dans son sac de toile, elle avait rassemblé le nécessaire pour faire face au danger qui menaçait ses amis.

Elle atteignait l'endroit d'où elle pourrait descendre au fond du précipice sans trop de mal, quand elle fut soudain rattrapée.

Elle songea à Rémius qui connaissait cette sente. Des brindilles craquèrent derrière elle. Une silhouette jaillit du fourré et la renversa.

— Tu croyais m'échapper !

— Phrémis ?

Le garçon pesa sur elle de tout son poids. Il faisait si sombre qu'il était presque impossible, pour Storine, de voir ses yeux. Phrémis lui serra la gorge.

— À moi, tu vas parler. Où se trouve le passage ?

Storine étouffait.

Elle tenta de repousser son agresseur, mais il était bien trop fort. Elle voulut le griffer. Il s'arrangea pour lui bloquer les mains dans le dos.

— Tes copains les lions ne viendront pas à ton secours, cette fois. Alors, parle !

Il pleuvait à verse. Les palmes alentour étaient fouettées par le vent d'orage. La jeune fille avait mal dans tous ses muscles.

Voyant qu'il n'arriverait à rien s'il l'étranglait vraiment, Phrémis relâcha un peu sa prise.

— Tu te demandes ce que je veux, hein ?

Il montra la crosse de son fusil laser et rit devant l'incrédulité de Storine. Puis, il se releva tout en gardant la main fermée sur sa gorge.

— Tout doux, fit-il. Lève-toi et ne me regarde surtout pas dans les yeux !

Il recula, posa le canon de l'arme de son père sur la tempe de Storine.

— Tu te demandes peut-être où est Rémius ?

Il montra son poing fermé et ensanglanté.

— Ne crois pas qu'il va venir t'aider. Il est K.-O. Maintenant, guide-moi !

Storine passa devant et traversa un roncier. Elle sentait à peine les griffures des épines sur sa chair alors que Phrémis pestait et se plaignait comme un bébé.

— C'est le seul chemin ?

Elle ne daigna pas répondre et reçut un coup de canon sur le crâne.

Storine longeait le précipice. Tout à coup, elle s'arrêta.

— Qu'est-ce que tu me veux ? demanda-t-elle sèchement.

Phrémis éclata de rire.

— Tu n'as donc pas encore compris ? C'est vrai que tu n'es pas très intelligente. Je veux…

Un coup de tonnerre lui coupa la parole. Ils écoutèrent les effrayants roulements et leurs échos. Le sol, les palmes, les troncs étaient glissants. Un éclair permit à Storine de distinguer les traits du garçon.

Ses yeux étaient rouges, son teint blafard, sa mâchoire serrée.

Il reprit son souffle et répéta en brandissant son fusil laser :

— Tu vas m'offrir un lion pour venger mon père…

Storine attrapa brusquement le canon de l'arme et tira.

— Tu es folle !

Déséquilibrés, ils tombèrent tous deux dans le ravin.

18

Les braconniers

Ils firent une chute d'environ cinq mètres, puis ils glissèrent le long d'une pente semée d'épineux et de roches coupantes. Les premières secondes passées, Storine vécut cette descente comme si elle s'observait à partir d'un endroit situé au-dessus du ravin.

Elle voyait son corps et celui de Phrémis rouler l'un sur l'autre. Elle entendait leurs cris. Une voix calme murmurait à son oreille. « Ne sois pas inquiète… »

Puis tout devint noir.

Un grondement de tonnerre plus redoutable que les autres la tira de son évanouissement. Elle ouvrit les yeux, se tâta les membres. Rien de cassé. Elle fit le point sur les rochers et les filets d'eau glacés qui coulaient sous ses fesses, leva la tête malgré les torrents de pluie…

«Je suis au fond du précipice!»

Phrémis était étendu, inconscient, à ses côtés. Elle combattit un violent vertige, posa une main sur la gorge du garçon.

«Il est vivant.»

Ce qui, compte tenu de la distance qui les séparait du bord du ravin, était un vrai miracle.

Elle s'émerveilla, car une luminescence mauve flottait à la hauteur de ses yeux. Elle se rappela l'urgence de la situation.

«Vite, pendant que la déesse me guide encore!»

Elle chercha le fusil laser de Phrémis – elle pourrait en avoir besoin. Ne le trouvant pas, elle récupéra son sac et pria les dieux pour que ce qu'elle avait mis à l'intérieur n'ait pas été endommagé par sa chute.

Le scintillement mauve se faisait plus ténu entre les trombes d'eau. Avant de partir, elle tira Phrémis à l'abri du feuillage d'un gros acacia, au cas où le niveau du ruisseau monterait.

Enfin, elle sauta de roche en roche et suivit la lumière…

Le passage existait bel et bien. Cependant, Storine n'avait pas menti en prétendant ne pas savoir où il se trouvait, car en vérité il ne s'ouvrait jamais au même endroit.

La lumière s'arrêta devant un pan de roche grisâtre. Son intensité devint si éclatante que la jeune fille dut fermer les yeux.

« Avance sans peur », lui murmura encore la voix.

Storine entra dans la roche et fut instantanément transportée à l'intérieur des limites du parc. L'impression était la même que les fois précédentes. Un saut brusque. Une poussée dans son dos. La certitude que tout bougeait autour d'elle.

Elle reconnut la silhouette des arbres et la danse folle des hautes herbes rouges fouettées par les bourrasques.

Elle tendit l'oreille pour surprendre un rugissement ou un grondement familier. Par ce temps, les petits animaux s'étaient réfugiés dans leur terrier. Les troupeaux de fenelles et de gronovores se tenaient flanc contre flanc au couvert des grands feuillus pour résister à la tempête. Les lions ne chassaient jamais par mauvais temps, car la pluie et les vents brouillaient les pistes.

« Seuls les hommes sont à l'affût, ce soir. »

Mais Storine était loin de considérer les braconniers de l'espace comme des hommes.

Et que faisaient les gardes du parc?

En s'enfonçant dans les étroits sentiers qui bordaient la savane, la jeune fille les imaginait en sécurité dans leurs bureaux. En général, durant les orages, son grand-père déployait ses troupes. Les employés restaient en sentinelles, sous la pluie, le froid et le vent jusqu'à ce que les satellites en orbite soient de nouveau à même de reprendre leur surveillance du territoire. Mais qu'en était-il depuis que le nouveau directeur était entré en fonctions? Son grand-père ne disait-il pas de lui qu'il était avant tout un fonctionnaire et un gestionnaire?

Elle reconnut enfin la forme des grands entablements et entendit les grondements de ses amis. Encore quelques pas et elle atteindrait l'interstice qui conduisait à l'intérieur du cercle de pierre.

Elle buta contre un obstacle et tomba face contre terre. Elle cria de stupeur en tâtant la patte qui l'avait fait trébucher.

Une lionne était affalée, sauvagement assassinée.

«Ils sont là!» se dit-elle, la peur et la rage au cœur.

Depuis son retour dans le parc, Storine appelait sans cesse Griffon et Croa par télépathie sans, hélas, jamais recevoir de réponse.

Une lumière éblouissante venue du ciel troua les ténèbres. Étaient-ce les aéroscooteurs des gardes du parc, ou bien…

Elle aperçut Griffon au sommet des entablements. Ramassé sur lui-même, le fauve rugissait, prêt à défendre sa tanière.

Mue par sa fidélité envers les lions et par sa certitude de faire partie de leur clan, Storine se hissa elle aussi sur les rochers. Des lionnes se tenaient au couvert des feuillus voisins.

«J'espère que les lionceaux sont à l'abri!»

Elle songeait aux rejetons de Croa et de Griffon, mais surtout à son petit Griffo.

Elle dérapait, s'éraflait coudes et genoux. Enfin, elle parvint à moins de sept mètres de Griffon, qui surveillait les lumières étranges – il y en avait plusieurs, à présent – qui trouaient le ciel. Un rayon écarlate jaillit de la nuée et frappa violemment le cercle de pierre.

Griffon rugit. Storine perdit encore pied, hurla, se cogna le front.

Elle se réveilla sur un lit de brume mauve luminescente.

«La déesse Vina...», fut sa première pensée.

Sa seconde pensée la força à se mordre la langue, car elle comprenait qu'il s'était écoulé plusieurs minutes depuis l'attaque des braconniers.

Des cages en duralium – un métal utilisé pour modeler la carlingue des vaisseaux de l'espace – étaient posées dans la clairière voisine.

«Ils enferment les lions...»

Storine se rappelait les mises en garde de son grand-père.

«Ces braconniers tuent certains lions pour leur peau et leurs os, qu'ils vendent pour que des chimistes en tirent des poudres réputées aphrodisiaques.»

Storine ne connaissait pas la signification de ce mot. Falob ajoutait que ces trappeurs opéraient à visage couvert, que certains vendaient les jeunes lions à des cirques inter-galactiques, qu'ils étaient engagés à forfait par de riches corporations qui souhaitaient avoir dans leurs bureaux une tête de lion blanc, même si de tels trophées étaient proscrits par les lois impériales.

D'après grand-père Falob, ces braconniers n'étaient presque jamais arrêtés et ils utilisaient une technologie de pointe que même l'armée impériale avait du mal à se procurer.

Storine se traîna dans les taillis. Pour la première fois de sa vie, elle assistait à une traque au lion. Les chasseurs portaient une armure spéciale qui déformait leurs corps et les rendait impressionnants.

Deux lionnes attaquèrent, puis hurlèrent de douleur et de colère quand le champ magnétique de protection leur brûla les griffes et les crocs.

« Les armures empêchent le glortex d'atteindre ces bandits », songea Storine.

C'était également ce que pensait son grand-père, et la raison pour laquelle Storine s'était procuré ce qu'elle avait mis dans son sac...

Trois chasseurs manœuvraient des cages à l'aide de télécommandes. Les cages s'élevaient et se plaçaient d'elles-mêmes à l'intérieur d'énormes conteneurs.

Storine devinait dans le ciel, au centre de la nuée lumineuse, la présence d'un vaisseau spatial.

Combien de lionnes et de lionceaux ces hommes avaient-ils déjà capturés ?

Elle sortit de son sac les détonateurs aimantés. Puis, zigzaguant furtivement entre les braconniers, elle lança les microbombes à travers les champs de protection psychique. Attirées par le métal, celles-ci se fixèrent aux armures que portaient les malfaiteurs.

L'un d'eux la vit et s'étonna. Comment une fille pouvait-elle se trouver en pleine savane, par ce temps, au milieu des fauves déchaînés ?

Réalisant ce qu'elle était en train de faire, plusieurs la prirent dans leur ligne de mire. Les faisceaux laser enflammèrent les buissons alentour.

Storine savait que ces hommes ne disposaient que de quelques minutes avant d'être obligés de s'enfuir. Lentement, elle compta dans sa tête.

Combien de microbombes avait-elle lancées ? Elle en avait confectionné une douzaine à partir de détonateurs simples, et il y avait huit braconniers. Non, sept. Elle ne savait plus, tant son cœur était crispé dans sa poitrine.

Soudain, un rugissement terrible retentit et Griffon surgit des entablements. Il se campa face à six chasseurs armés, protégés par leur armure et leur champ de force.

« Quatre, trois, deux… », compta Storine.

Les explosions illuminèrent la savane. Ensuite, très vite, la nuit revint et, avec elle, la douleur et les ténèbres…

19

Retrouvailles

Une route étoilée s'ouvrait devant les yeux de Storine. Elle n'hésita qu'un bref instant avant de se laisser conduire.

« C'est un autre rêve… »

Planètes et constellations tourbillonnaient autour d'elle. De nouveau, elle chevauchait un grand lion blanc.

Cette fois-ci, le nom du fauve lui vint spontanément à l'esprit.

— Va, Griffo !

Une présence dans son dos lui remémora par contre de mauvais souvenirs. Elle se retourna, prête à insulter Rémius, le traître, mais resta bouche bée, car si le garçon était blond et souriant, il ne s'agissait pas du fils du consul.

— On se connaît ? s'enquit-elle.

217

L'inconnu hocha la tête sans répondre, avant d'encourager Griffo :

— Mène-nous au bout de l'empire !

Storine avait la certitude de chevaucher aux côtés d'un fantôme. Cet adolescent, elle le connaissait. Mais d'où ? Et quand ?

Ensuite, le rêve mystique se changea en un songe plus ordinaire. C'est-à-dire plus embrouillé. Le garçon disparut. Puis ce fut le tour de Griffo. Elle se rappela alors que son bébé lion était peut-être en danger. Que les braconniers l'avaient sans doute capturé.

« L'explosion m'a fait perdre la tête… »

Son front avait heurté la pierre. Peut-être même qu'elle était déjà morte !

La voix de la déesse chuchota à son oreille. Dans l'espace se dessinait une écharpe mauve sur laquelle la jeune fille surfait comme sur une vague magnifique.

« Le moment approche, mon enfant, où ton enfance va finir. Où ta vie d'aventures et ta quête pour sauver l'empire et les humanités qui l'habitent vont commencer. N'aie crainte, nous t'accompagnerons. »

Des visages émergèrent du ruban diaphane. Celui d'un homme sévère aux yeux noirs et brûlants, à la mâchoire crispée, aux cheveux coupés en brosse. Celui d'un pirate aux yeux bleus dont la chevelure blonde était striée de fils blancs. Celui d'un jeune homme roux au sourire énigmatique. Et bien d'autres, encore, semblables à des ectoplasmes évanescents. Storine imagina ses grands-parents se tordant au milieu d'un incendie.

Leur hurlement augmenta son angoisse. Mais comment s'extraire d'une transe ordonnée par les dieux ?

La déesse comprit ses tourments et la rassura :

« Il va falloir te résoudre à oublier les souvenirs qui te font le plus de mal. »

Aussitôt, certaines des images en suspension dans l'espace commencèrent à se dissoudre.

— Non ! s'écria Storine.

« Je meurs vraiment », se dit-elle, horrifiée, devant ces visages qui disparaissaient irrémédiablement.

C'est alors qu'une autre voix se superposa à celle de la déesse :

— Elle se réveille…

Storine battit des paupières et grimaça de douleur.

— Ne bouge pas, Sto, lui intima son grand-père. Tes blessures…

La jeune fille avait la bouche pâteuse. Elle ne sentait plus ni ses bras ni ses jambes. La peur d'être paralysée lui insuffla l'énergie nécessaire pour se redresser dans ses oreillers.

Elle fit le point sur la chambre, les murs blancs, les appareils métalliques, le bip des générateurs, le parfum subtil d'un bouquet de fleurs posé sur une tablette en plastique beige.

Devinant ses inquiétudes, Falob expliqua :

— Tu es à l'hôpital de Fendora. Tu t'es cogné la tête et tu as été légèrement blessée par les explosions, mais rassure-toi, tu n'as rien de cassé.

Storine reconnut tour à tour ses grands-parents. Une troisième personne se tenait en retrait. L'homme était jeune et roux. Les mots « flamboyant et mystérieux » lui vinrent naturellement à l'esprit.

L'avait-elle déjà vu, dans un rêve ou même avant ?

Falob nota la curiosité de sa petite-fille adoptive.

— Je te présente Santorin. C'est un garde du parc. C'est lui qui t'a trouvée près des entablements et qui t'a sauvée.

Storine et le dénommé Santorin se dévisagèrent. Au bout d'une minute de silence, ils se sourirent.

Santorin déclara alors que, bien que nouvellement en poste, il savait que les fameux braconniers opéraient surtout pendant la saison des orages. Contrairement à ses collègues qui étaient restés cloîtrés dans leurs bureaux, lui avait décidé d'aller faire une ronde.

— Vous êtes un original, lui dit Falob.

— Je prendrai cela comme un compliment, monsieur le directeur.

— Ex-directeur.

Santorin opina et continua pour Storine :

— Le fait est, jeune fille, que ton action d'éclat a permis l'arrestation de sept braconniers et la saisie d'une partie de leur matériel.

Tandis que grand-mère Phédrine tapotait la main de sa petite-fille, Falob poursuivit :

— Ils sont hospitalisés ici même. Ces minibombes que tu m'as dérobées… (son regard se durcit l'espace d'un instant) ont fait échouer toute leur opération. Pour la première fois dans l'histoire de ce parc, les administrateurs auront des coupables à livrer à la justice. Et, pour cela, ils te doivent une fière chandelle.

Les joues de ses grands-parents rosissaient de joie.

Falob se décida enfin à lui annoncer la bonne nouvelle :

— Le nouveau directeur a décrété que nous pouvions rester dans notre maison.

— De plus, ne put s'empêcher d'ajouter le jeune garde roux, ton geste de bravoure fait indiscutablement de toi l'héroïne du jour.

Falob précisa que Santorin lui-même était aussi devenu une sorte de célébrité.

Du bruit montait du corridor.

Santorin continua sur sa lancée :

— On dirait un troupeau de gronovores, n'est-ce pas ! Mais il s'agit en fait des journalistes impatients de nous interviewer.

Storine serra le poignet de son grand-père.

— Griffon, Griffo, Croa…

— Ne t'inquiète pas, Sto. Cette fois-ci, les braconniers qui se trouvaient à bord du vaisseau sont repartis bredouilles. Et grâce à ceux qu'ils ont lâchement abandonnés, nous espérons mettre au jour toute leur organisation.

Grand-mère n'avait pas l'air dans son assiette, et pour cause ! Elle aimait leur petite vie tranquille. Et cet événement, quoique positif, risquait de bouleverser leur quotidien.

Storine remarqua enfin d'où lui venait ce chatouillement qui l'agaçait depuis son réveil.

— Pourquoi est-ce que j'ai ce gros pansement sur la tête, grand-père ?

Falob se racla la gorge. La dame détourna le regard.

— Tu as subi un choc. Une partie de ta chevelure a… brûlé. Mais rassure-toi, elle va repousser. Seulement, le médecin craint que tu ne souffres pendant un certain temps d'une amnésie partielle.

Storine fronça les sourcils.

— Ce choc t'aura fait oublier certaines choses, simplifia Santorin.

Grand-père énuméra quelques noms et mots-clés, au hasard.

— Faille, école, Rémius…

— Rémius ? répéta Storine.

— Te souviens-tu de lui ?

Elle battit des paupières : un tic qu'elle avait pris de sa grand-mère lorsqu'elle était perplexe.

— Le consul et son fils sont repartis, précisa Falob.

Storine cherchait toujours. Ce nom lui disait quelque chose. Mais quoi ? Phédrine rappela son mari et le jeune garde à l'ordre.

— Voulez-vous la laisser se reposer ! Aller, sortez ! Vous l'embêtez avec vos questions.

Avant de quitter la chambre, Santorin lui glissa à l'oreille :

— Je reviendrai demain et j'essaierai de t'amener Griffo en cachette.

« Quelle bonne idée ! » songea Storine en se disant que cet homme ne lui était décidément pas inconnu. Elle décida que s'il réussissait à lui amener son lionceau, ils pourraient même devenir amis.

En attendant, ses yeux se fermaient tout seuls. Une fatigue immense gagnait son corps et son âme. Sa grand-mère l'embrassa sur les joues.

— Repose-toi. Deux gardes veilleront devant ta porte. Nous reviendrons te voir plus tard en soirée.

Épilogue

Quelques semaines plus tard, Storine était de nouveau en classe. Il ne restait que quelques jours avant le début des vacances d'été. Elle avait été très déçue d'apprendre qu'à cause des notes médiocres obtenues à ses derniers examens, elle avait redoublé son année. Ce qui l'amènerait, après les vacances, à se retrouver encore dans sa petite école au lieu d'aller au collège de Fendora, situé de l'autre côté de la ville.

Dès son retour à l'école, des journalistes s'étaient installés sur l'esplanade et attendaient avec impatience chacune de ses sorties pour l'interroger sur les événements survenus dans le parc. Mais la plupart du temps, Storine s'arrangeait pour les éviter.

Soit elle se déguisait, soit elle se faisait escorter par Santorin et deux de ses acolytes, des gardes qui venaient la chercher en feeleur, soit elle passait par les toits de l'école des tout-petits et disparaissait par le sentier menant au précipice.

225

Les dirigeants du parc étaient venus la voir pour lui demander encore si elle se souvenait de l'emplacement de cette faille dans la muraille de sécurité qui avait permis au lion blanc de pénétrer sur le territoire de la cité. Mais la jeune fille avait beau se creuser la cervelle, elle ne se rappelait rien.

Pourquoi, alors, laissait-elle ses pas la guider au fond du ravin ?

Ses camarades de classe, Phrémis et Vinoma en tête, n'avaient pas tardé à la harceler derechef. Mais les derniers événements avaient aidé la jeune fille à se forger une plus solide carapace. Désormais, leur jalousie et leur haine ne la gênaient plus. Elle était différente des autres ! Et alors ? Ce n'était pas son problème à elle, mais le leur !

En cette chaude journée, alors qu'elle espérait inconsciemment rejoindre le parc en passant par le ravin, elle ignorait que le danger, pour une fois, ne venait ni des hommes chargés de la surveiller ni de Phrémis et de ses amis...

Le colosse aux yeux d'ange embusqué dans les taillis avait du mal à garder la mire de son arme laser sur sa future victime. D'abord, ses mains tremblaient. Ensuite, une araignée aussi grosse que sa paume s'était installée sur son crâne chauve. Mais surtout, il pleurait.

L'ombre apaisante des hautes frondaisons coupait la chaleur de moitié. Les insectes bourdonnaient. L'écho du ruissellement du torrent se répercutait entre les parois du ravin. La jeune fille aux cheveux orange sautait gaiement de rocher en rocher…

Corvéus était arrivé sur Ectaïr la veille. Comme le lui avait ordonné Sériac, il avait pris contact avec la femme enquêtrice qui avait repéré l'enfant. D'après celle-ci, le profil de la jeune Storine Gandrak correspondait parfaitement à celui de la fillette qui leur avait autrefois glissé entre les doigts sur la planète Vénédrah. À force de patience, l'enquêtrice avait remonté toute la piste, depuis la bande d'enleveurs d'enfants de Vénédroma jusqu'au couple Gandrak, en passant par l'employé de la station minière qui leur avait remis la bambine.

Le colosse essuya la sueur qui perlait à ses tempes. Heureusement, l'araignée géante avait passé son chemin ! Cela ne l'aidait pas autant qu'il l'avait cru. Devant ses yeux, il revoyait toujours la même image : lui en train de bercer l'enfant.

Aujourd'hui, près de neuf ans plus tard, il la retrouvait enfin, sautillante, sac au dos, le visage aux aguets pour ne pas glisser.

« Tu feras ce que je t'ai ordonné et c'est tout ! » s'était emporté Sériac.

Corvéus avait bredouillé, gémi, bafouillé. L'officier avait planté son regard noir dans le sien.

« Nous n'avons plus le choix, crétin ! Cyprian sait que nous avons autrefois échoué. Il sait aussi que je lui ai menti au sujet de la petite. Et il la veut morte ! C'est elle ou nous. Tu comprends ? »

Corvéus avait donc été envoyé sur Ectaïr. Un fusil laser de contrebande l'attendait dans sa chambre d'hôtel. Il en avait patiemment huilé et monté chaque pièce.

À présent, bien malgré lui, il était en poste. La tête de Storine était placée exactement au centre de sa mire. Il n'avait plus qu'à presser la détente…

« C'est elle ou nous ! avait martelé Sériac. Tue-la. Ensuite, j'arriverai et nous nous occuperons de ses grands-parents adoptifs. Toute trace devra être effacée. »

Corvéus avala difficilement sa salive. Il sentait encore l'empreinte du bébé sur sa peau et sa chaleur contre son torse.

La mine piteuse, le visage noyé de larmes, il essuya de nouveau ses yeux, cala la crosse de son arme contre son épaule, visa.

« Il n'y a pas d'autre solution si nous voulons survivre, avait insisté Sériac. Tu feras ce que je t'ai ordonné. »

Corvéus posa son doigt sur la gâchette.

Soudain, un éclair blanc jaillit des taillis. Le fauve bondit et rejoignit Storine dans le ravin. Le colosse abaissa son arme. Cette fois-ci, la chance souriait à l'enfant. Mais l'homme de main le savait : il devrait accomplir sa mission avant l'arrivée de son maître…

Lis la suite des aventures de Storine
dans le volume 1 de la série,
déjà paru,
et intitulée *Le lion blanc*.

Index
des personnages

Chrisabelle : Impératrice de l'Empire d'Ésotéria.

Corvéus : Mercenaire et assassin, complice de Sériac.

Croa : Lionne blanche, amie de Storine.

Éphébur : Camarade de classe de Storine.

Éphilion Gandrak : Frère de Falob, bras droit du gouverneur de Briana.

Érakos : Frère du premier empereur, surnommé le Grand Unificateur des peuples.

Éristophane de Hauzarex : Fils de l'impératrice Chrisabelle, futur empereur et père de Solarion.

Étyss Nostruss : Prophète célèbre ayant vécu il y a quatre cents ans.

Falob Gandrak : Directeur du parc impérial de Fendora, grand-père adoptif de Storine.

Fnorr : Lion blanc, frère jumeau de Griffon.

Frëlla : Princesse impériale, femme d'Éristophane, mère de Solarion.

Griffo : Bébé lion blanc, ami de Storine.

Griffon : Lion blanc, père de Griffo, et lion-roi après Nooret.

Guiso Gandrak : Fils unique de Falob et de Phédrine.

Hauzarex : Nom de la famille impériale d'Ésotéria.

Madame Myrtine : Enseignante à l'école de Fendora.

Marsor : Pirate célèbre recherché par toutes les polices impériales.

Nicolane : Épouse d'Éphilion Gandrak.

Nooret : Lion-roi à l'époque de la petite enfance de Storine.

Phédrine Gandrak : Grand-mère adoptive de Storine.

Phrémis : Camarade de classe de Storine.

Rémius : Fils du nouveau consul de Fendora, ami de Storine.

Santorin : Garde du parc impérial, ami de Storine.

Sériac Antigor : Officier renégat de l'armée impériale, agent secret au service de Védros Cyprian.

Sharmane : Camarade de classe de Storine.

Solarion de Hauzarex : Prince impérial.

Storine : Notre héroïne.

Sylfrine, Phèbe, Tricolin : Petits-enfants d'Éphilion Gandrak, et cousins adoptifs de Storine.

Thoranus : Cousin d'Éristophane, et grand cousin de Solarion.

Uphélie Gandrak : Épouse de Guiso.

Védros Cyprian : Grand conseiller impérial.

Vinoma : Camarade de classe de Storine à l'école de Fendora.

Vinor et Vina : Dieux de la cosmogonie ésotérienne.

Glossaire

Aéroscooteur : Appareil léger et familial utilisé pour de courtes distances atmosphériques.

Briana : Capitale de la planète Ectaïr.

Bulljet : Système de transport en usage sur la planète Ésotéria.

Centauriens : Garde rapprochée de Marsor le pirate.

Dronovore : Mastodonte de charge originaire de la planète Vénédrah.

Duralium : Alliage métallique de haute technologie utilisé, entre autres, pour la carlingue des navires de l'espace, mais aussi pour faire des sabres.

Ectaïr : Planète du système de Branaor où Storine a grandi.

Édolnien : Habitant de la planète Édolnia.

Epsilodon : Planète de l'empire.

Ésotéria : Planète capitale de l'empire du même nom.

Feeleur : Appareil de transport au profilage aérodynamique propulsé sur coussins d'air.

Fendora : Cité touristique où vit Storine.

Fenelle : Sorte de gazelle rousse au pelage moucheté vivant dans les savanes des parcs de lions d'Ectaïr.

Focyliss : Insecte à dard vivant dans la savane ectaïrienne.

Ganaë : Province de la planète Ectaïr.

Gaurok : Animal cornu à l'épaisse cuirasse vivant dans les savanes d'Ectaïr.

Glortex : Force mentale télépathique des lions blancs.

Gory : Conducteur de dronovore.

Goublard : Sorte de guêpe mâle à dents vivant dans la savane ectaïrienne.

Grand Centaure : Vaisseau de proue de la caravane d'appareils pirates commandée par Marsor.

Gronovore : Cochon sauvage vivant en troupeaux sur Ectaïr.

Gualouka : Fruit du gualouk, arbuste à épines.

Hauzarex : Nom de la famille impériale, mais aussi nom de la capitale de la planète Ésotéria.

Jondrille : Animal haut sur pattes ressemblant à une autruche. Son lait, très nourrissant, est aussi employé en médecine.

Karsang : Instrument de musique ressemblant à une harpe, originaire de la planète Vénédrah.

Kobo : Graine ressemblant au café, dont on tire le composant principal d'une boisson alcoolisée très populaire.

Luminéa : Nom du palais impérial où vivent les membres de la famille impériale.

Mer d'Illophène : Secteur dangereux de l'espace où gravite une myriade de météorites. Réputée pour être un cimetière de l'espace.

Microcom : Bracelet de communication.

Miglou : Petit carnassier vivant dans la savane ectaïrienne.

Myrta : Soleil rouge du système de Branaor.

Mytane d'harmathe : Minerai extrait des météorites dans le système de Vénédrah.

Nanométriste : Ingénieur spécialisé dans l'étude, la mesure et l'extraction de certains métaux rares contenus dans les météorites.

Ophalopale : Rongeur à carapace vivant dans la savane ectaïrienne.

Orgon : Métal constituant l'unité monétaire de base dans les parties reculées de l'Empire d'Ésotéria.

Sakem : Livre sacré des maîtres missionnaires de l'Empire d'Ésotéria.

Spacioscooteur : Petite navette de transport aérien.

SSI Chrisabelle : Navire spatial impérial, croiseur personnel de l'impératrice.

Sumark : Fleur comestible dont on recueille le suc pour faire des desserts et des pâtisseries.

Tiglit : Canne dont le jus, acide, est utilisé en cuisine.

Tomaros : Fruit à pulpe savoureuse.

Toumeck : Bonnet à longues tresses traditionnel des peuples de Vénédrah.

Vénédrah : Planète où Storine, enlevée par des voleurs d'enfants, échappe aux griffes de Sériac.

Vénédroma : Cité capitale de Vénédrah.

Ypos : Étoile rouge du système où gravite la planète Vénédrah.

TABLE DES MATIÈRES

1. La vision 9
2. Le duel 23
3. Avez-vous du lait de jondrille ? 31
4. Entrevue en bulljet 45
5. Un couple d'étrangers.................... 55
6. Une grande lionne blanche 65
7. Les fresques 79
8. Les cycles de la vie 91
9. Une journée de classe 105
10. Le combat des rois 117
11. La dispute 131
12. L'exposé oral 143
13. La convocation 159
14. Scandale au marché 171
15. Nouvelle vie 183
16. Double jeu 191
17. La saison des pluies 199
18. Les braconniers 207
19. Retrouvailles.................................. 217
Épilogue.. 225
Index des personnages 231
Glossaire 235

Fredrick D'Anterny

Romancier prolifique, Fredrick D'Anterny est l'auteur d'une quarantaine d'ouvrages, dont plusieurs séries jeunesse : *Storine, l'orpheline des étoiles, Éolia, princesse de lumière, Les 7 cristaux de Shamballa,* et aussi de romans pour adultes dont la saga épique et fantastique d'aventures *Les messagers de Gaïa.* Auteur également d'albums jeunesse, *Les aventures de la petite flamme bleue, Le papillon de lumière,* et du roman mystique *Le portail des anges,* Fredrick explore avec brio le genre fantastique en y associant des personnages hauts en couleur et des notions de philosophie et de spiritualité.

Pour en savoir plus sur son œuvre, visite son site : **www.fredrickdanterny.com**

Volume 1: *Le lion blanc*

Nouvelle couverture
à venir

Qui est cette enfant sauvage qui parle aux lions blancs et que plusieurs personnes tentent de kidnapper? Arrachée à son foyer d'accueil, Storine ne comprend pas. Accompagnée de Griffo, son bébé lion blanc aux dangereux pouvoirs télépathiques, elle se retrouve esclave à bord du *Grand Centaure,* le vaisseau de Marsor le pirate. Tout de suite, entre l'enfant et le vieux pirate naît une étonnante complicité. Et si Storine était la fille perdue de Marsor?

Mais alors pourquoi, dans ce cas, un espion à la solde du gouvernement impérial voudrait-il l'assassiner à tout prix?

Volume 2: *Les marécages de l'âme*

Sitôt arrivée sur Phobia, Storine tombe aux mains d'un dangereux trafiquant d'esclaves. Alors que la planète subit les assauts des troupes impériales, Storine et son amie Eldride s'évadent afin de retrouver Griffo. Leur objectif:

Phobianapolis, la capitale, d'où elles s'embarqueront pour échapper à cet enfer. Dans son périple à travers les montagnes obscures, Storine croise la route d'un étrange garçon. Ensemble, ils découvriront la légendaire cité d'Éphronia où se trouve le véritable marécage de l'âme. Mais qui est Solarion et pourquoi, grâce à lui, la déesse Vina accepte-t-elle de révéler à Storine des pans entiers de son identité perdue ?

Volume 3 : *Le maître des frayeurs*

 L'*Érauliane*, le grand vaisseau aux voiles d'or, emporte Storine et ses amis loin de la planète Phobia. Mais l'armateur, Ekal Doum, est-il honnête quand il prétend vouloir conduire Storine et Griffo sur Paradius où elle doit retrouver Marsor le pirate, son père ? Obligée de fuir à travers l'espace, Storine accepte de suivre Doum jusque sur la lointaine planète Yrex. Forcée d'utiliser l'art de la translucidation pour pénétrer dans le cerveau d'une sorcière, elle devra apprendre à maîtriser la force de son glortex. Réussira-t-elle à vaincre le maître

des frayeurs qui détient l'âme de son lion blanc en otage ?

Volume 4: *Les naufragés d'Illophène*

Voyageant à bord du plus célèbre paquebot spatial de l'empire, Storine n'a qu'une idée : récupérer Griffo, kidnappé par Ekal Doum. Aidée de ses amis Éridess et maître Santus, elle joue les enquêtrices. De planète en système stellaire, le *Mirlira II* et ses douze mille passagers voguent dans une frénésie de luxe et d'amusements sans se douter un instant du drame qui se joue. Pour quelle raison Santus, le mystérieux maître missionnaire, accepte-t-il d'aider Storine ? Pourquoi un passager clandestin s'intéresse-t-il tant au lion blanc ? Et surtout, Griffo, dont l'âme a été exilée dans une dimension parallèle par deux créatures à la solde de Doum, reconnaîtra-t-il sa jeune maîtresse ?

Volume 5 : *La planète du savoir*

Dès son arrivée sur la planète Delax, Storine est inscrite contre son gré par maître

Santus au collège impérial de Hauzarex. Mais l'école est-elle vraiment faite pour elle ? Mise de côté par ses camarades à cause de ses liens d'amitié avec le grand lion blanc qui hante les montagnes environnantes, Storine décide de s'enfuir pour aller vivre avec Griffo. Mais maître Santus, devenu l'un de ses professeurs, voit d'un mauvais œil que l'Élue de Vina dorme à la belle étoile. Sans compter que Storine s'est fait de nombreux ennemis parmi les pensionnaires : les fils d'Ekal Doum ainsi que la grande duchesse Anastara.

Storine et Solarion pourront-ils enfin s'avouer leur amour et le vivre au grand jour ?

Volume 6 : *Le triangle d'Ébraïs*

Propulsée malgré elle dans le monde parallèle d'Ébraïs, Storine est impliquée dans une guerre opposant deux races d'humanoïdes. Var Korum, un scientifique totonite, reconnaissant en Storine celle dont le Mur du Destin annonce l'arrivée depuis des milliers d'années, la supplie de s'acquitter de sa mission qui est de sauver son peuple. Complètement abasourdie, la jeune fille n'a, elle, qu'une idée en tête : quitter cet univers et regagner l'empire d'Ésotéria où elle doit se fiancer au prince Solarion. Lorsqu'elle comprend que ces cinq pierres ont été offertes aux peuples de ce monde par la déesse Vina, Storine décide de se prêter au jeu.

Et si la mystérieuse sphère de lumière, qui la guide depuis son arrivée, était *l'œil de Vina* dont parle son livre ?

Volume 7 : *Le secret des prophètes*

 Sur le rocher d'Argonir, Storine rencontre une vieille médium qui prétend être l'incarnation de la déesse Vina. Mais capturés par deux chasseurs de têtes à la solde d'un cirque intergalactique, Storine et Griffo se retrouvent à bord de la station orbitale Critone, où les attend un peuple de mutants qui les acclament comme leurs sauveurs.

Se souvenant des révélations de la vieille prophétesse d'Argonir, Storine accepte d'accomplir sur Critone son premier miracle, qui doit, tel qu'annoncé par les prophéties, lui apporter la gloire et la reconnaissance des peuples de l'empire, mais aussi la haine farouche du grand chancelier Védros Cyprian. La jeune fille saura-t-elle mener ses missions à terme et déjouer les ruses d'Anastara, qui a lancé une phalange de Gardes Noirs à ses trousses ?

Volume 8 : Le procès des dieux

Après avoir accompli de nombreux miracles qui ont fait d'elle une célébrité interplanétaire, Storine est enfin parvenue à trouver la voie de sa destinée : personnifier l'Élue des prophéties. Quand Santus, son ami maître missionnaire, la persuade de venir se présenter devant l'impératrice Chrisabelle, la jeune fille sent qu'un terrible piège va bientôt se refermer sur elle. Et si les dieux, trop longtemps oubliés par les hommes, se servaient d'elle pour assouvir leur soif de vengeance ? Anxieuse,

aussi, de retrouver le prince Solarion qui l'a repoussée, Storine s'apprête à affronter de nouvelles épreuves.

Volume 9 : *Le fléau de Vinor*

Exilée dans les sphères ténébreuses du dieu Sakkéré, Storine doit lutter pour réintégrer son corps, maintenu dans un profond coma aux tréfonds de la sinistre prison mentale d'Ycarex. De son côté, mis au pied du mur, Solarion n'a d'autre choix, pour sauvegarder le trône et la réputation de l'impératrice, que d'accepter d'épouser Anastara, sa cousine. Pourtant, les dieux veillent. Tel qu'annoncé par les prophéties, Sakkéré se réveille et réclame son dû. Aux quatre coins de l'empire apparaissent d'étranges yeux cosmiques qui menacent d'engloutir nombre de planètes habitées, dont Ésotéria elle-même ! Rappelée au monde des vivants, Storine réussira-t-elle à sauver son âme et à vaincre le fléau de Vinor ?

COLLECTION CHACAL

1. *Doubles jeux*
    Pierre Boileau (1997)

2. *L'œuf des dieux*
    Christian Martin (1997)

3. *L'ombre du sorcier*
    Frédérick Durand (1997)

4. *La fugue d'Antoine*
    Danielle Rochette (1997)
    (finaliste au Prix du
    Gouverneur général 1998)

5. *Le voyage insolite*
    Frédérick Durand (1998)

6. *Les ailes de lumière*
    Jean-François Somain
    (1998)

7. *Le jardin des ténèbres*
    Margaret Buffie, traduit
    de l'anglais par Martine
    Gagnon (1998)

8. *La maudite*
    Daniel Mativat (1999)

9. *Demain, les étoiles*
    Jean-Louis Trudel (2000)

10. *L'Arbre-Roi*
    Gaëtan Picard (2000)

11. *Non-retour*
    Laurent Chabin (2000)

12. *Futurs sur mesure*
    collectif de l'AEQJ (2000)

13. *Quand la bête s'éveille*
    Daniel Mativat (2001)

14. *Les messagers d'Okeanos*
    Gilles Devindilis (2001)

15. *Baha-Mar et les
    miroirs magiques*
    Gaëtan Picard (2001)

16. *Un don mortel*
    André Lebugle (2001)

17. Storine, l'orpheline
    des étoiles, volume 1 :
    Le lion blanc
    Fredrick D'Anterny (2002)

18. *L'odeur du diable*
    Isabel Brochu (2002)

19. *Sur la piste des Mayas*
    Gilles Devindilis (2002)

20. *Le chien du docteur
    Chenevert*
    Diane Bergeron (2003)

21. *Le Temple de la Nuit*
    Gaëtan Picard (2003)

22. *Le château des morts*
    André Lebugle (2003)

23. Storine, l'orpheline
    des étoiles, volume 2 :
    Les marécages de l'âme
    Fredrick D'Anterny (2003)

24. *Les démons de Rapa Nui*
    Gilles Devindilis (2003)

25. Storine, l'orpheline
    des étoiles, volume 3 :
    Le maître des frayeurs
    Fredrick D'Anterny (2004)

26. *Clone à risque*
    Diane Bergeron (2004)

27. *Mission en Ouzbékistan*
    Gilles Devindilis (2004)

28. *Le secret sous ma peau*
    de Janet McNaughton,
    traduit de l'anglais
    par Jocelyne Doray (2004)

29. Storine, l'orpheline
    des étoiles, volume 4 :
    Les naufragés d'Illophène
    Fredrick D'Anterny (2004)

30. *La Tour Sans Ombre*
    Gaëtan Picard (2005)

31. *Le sanctuaire des Immondes*
    Gilles Devindilis (2005)

32. *L'éclair jaune*
    Louis Laforce (2005)

33. Storine, l'orpheline
    des étoiles, Volume 5 :
    La planète du savoir
    Fredrick D'Anterny (2005)

34. Storine, l'orpheline
    des étoiles, Volume 6 :
    Le triangle d'Ébraïs
    Fredrick D'Anterny (2005)

35. *Les tueuses de Chiran,*
    Tome 1, S.D. Tower,
    traduction de Laurent
    Chabin (2005)

36. *Anthrax Connexion*
    Diane Bergeron (2006)

37. *Les tueuses de Chiran,*
    Tome 2, S.D. Tower,
    traduction de Laurent
    Chabin (2006)

38. Storine, l'orpheline
    des étoiles, Volume 7 :
    Le secret des prophètes
    Fredrick D'Anterny (2006)

39. Storine, l'orpheline
    des étoiles, Volume 8 :
    Le procès des dieux
    Fredrick D'Anterny (2006)

40. *La main du diable*
    Daniel Mativat (2006)

41. *Rendez-vous à Blackforge*
    Gilles Devindilis (2007)

42. Storine, l'orpheline
    des étoiles, Volume 9 :
    Le fléau de Vinor
    Fredrick D'Anterny (2007)

43. *Le trésor des Templiers*
    Louis Laforce (2006)

44. *Le retour de l'épervier noir*
    Lucien Couture (2007)

45. *Le piège*
    Gaëtan Picard (2007)

46. *Séléna et la rencontre
    des deux mondes*
    Denis Doucet (2008)

47. *Les Zuniques*
    Louis Laforce (2008)

48. *Séti, le livre des dieux*
    Daniel Mativat (2007)

49. *Séti, le rêve d'Alexandre*
    Daniel Mativat (2008)

50. *Séti, la malédiction
    du gladiateur*
    Daniel Mativat (2008)

51. *Séti, l'anneau des géants*
    Daniel Mativat (2008)

52. *Séti, le temps des loups*
    Daniel Mativat (2009)

53. *Séti, la guerre des dames*
    Daniel Mativat (2010)

54. *Les Marlots – La découverte*
    Sam Milot (2010)

55. *Le crâne de la face cachée*
    Gaëtan Picard (2010)

56. *L'ouvreuse de portes*
    La malédiction des
    Ferdinand
    Roger Marcotte (2010)

57. *Tout pour un podium*
    Diane Bergeron (2011)

58. *Séti, la fille du grand
    Moghol*
    Daniel Mativat (2011)

59. *Séti, l'homme en noir*
    Daniel Mativat (2011)

60. *Séti, le maître du temps*
    Daniel Mativat (2011)

61. *La rêveuse extralucide*
    La malédiction des
    Ferdinand
    Roger Marcotte (2011)